辛口な上司ですが、プライベートは極甘です。

私、ただし、限定で～

序章

「送らせてください」

彼は礼儀正しく言って、左手を差し出した。一八〇センチくらいの長身で、くっきりした二重の瞳に責任感をにじませている。

「さすがにそこまでは……」

蒼生《あおい》は断ろうとしたが、彼は強い口調で言う。

「いいえ、ぜひそうさせてください。俺の気がすまないので」

それでも蒼生がためらっていると、彼は左手を蒼生の右手に近づけた。

「どうぞ摑まってください」

強い光をたたえた瞳は、彼の決意が揺るがないことを伝えていた。

ここまで言ってくれるのなら、最後まで責任を取ってもらってもいいのかもしれない。

蒼生はそう考えて、彼の左手にそっと自分の手を重ねた。それまで何度か触れているとはいえ、知らない男性の手だ。緊張するが、目的達成のためには必要だ。

蒼生は酔って潤んだ目で彼を見上げ、左手でゆっくりと右手前方を指差した。

CONTENTS

MITSU YUME

イラスト／neco

「じゃあ……あのホテルまで、いいですか？」

彼は蒼生の指の先に視線を送った。シューズショップの入る三階建てビルの向こうに、ヨーロッパの城のような建物があり、壁には白と青の電飾が滝のように流れている。ファッションビルやしゃれたレストランの近くにあるのが明らかに場違いな感じで、誰が見てもラブホテルだとわかる。

「ええと……」

彼が困惑したように蒼生を見た。

「あのホテルです。あそこに連れていってください」

蒼生はきっぱりと言った。

第一章　ひとりで飲むにはわけがある

それは六月中旬、梅雨の晴れ間の蒸し暑い金曜日だった。大阪・梅田エリアは、ＪＲに大阪メトロ、阪急《はんきゅう》電鉄を始めとする関西の主要な鉄道の駅があり、行きかう人や車で混み合っている。

その賑やかな中心街の東側にある目立たない通りの一角に、煉瓦壁の小さなビルが建っていた。そのビルの外階段を下りた地下一階に、隠れ家のようなバー〝ブルームーン〟がある。蒼生はコンクリートの階段を下りきって、重厚なダークブランの扉の前で立ち止まった。

（有言実行！　絶対に今日やり切ってみせる）

不安で速まる鼓動をなだめようと、何度も深呼吸をした。だが、やっぱり心臓はドクンドクンと激しく打っていて、脚が震えそうになる。

（大丈夫。私ならできる。きっと乗り越えられる）

なんの根拠もない自信だったが、とにかくやるしかない。その思いで大きく息を吐き出した。決然と顔を上げ、くすんだ金色の取っ手を握る。

（えいっ）

思い切ってドアを開けると、クーラーの冷気とともに、しっとりとしたジャズが低音量で流れてきた。

蒼生は一歩中に入った。イギリスのパブをイメージした店内は、ダークブラウンの羽目板張りの壁をランプ型の照明が淡く照らし、ノスタルジックな雰囲気だ。入り口から奥のバーカウンターまでのスペースに、小さな丸テーブルが十ほど置かれている。

六年前と同じ光景を見て、思い出に飲み込まれそうになった。幼馴染みで恋人でもあった岡崎省吾《おかざきしょうご》の姿を探してしまいそうになり、蒼生は小さく首を横に振った。

「いらっしゃいませ、おひとり様ですか？」

ちょうどテーブル席にドリンクを運び終わった男性店員が蒼生に声をかけた。

「はい」

「お好きなお席へどうぞ」

蒼生は落ち着かない気持ちで店内を見回した。テーブル席は八割方埋まっていて、カウンターに八つあるスツールも、右端がひとつ、左端がふたつ空いているだけだ。バーカウンターの向こうには三十代半ばくらいのバーテンダーがいた。さっきの店員と揃いの白いシャツに黒のベスト、スラックスという格好だ。この店員たちが六年前にもいたのか記憶をたどってみたが、思い出せなかった。なにしろあのときは、東京で働く遠距離恋愛中の省吾と二ヵ月ぶりに会えるとあって、彼以外の男性など目に入らなかったのだ。

蒼生はカウンター席に向かったが、目当ての席には残念ながらカップルが座っていた。

(仕方ない、か)

蒼生はカップルの男性の左隣にあるスツールに腰を下ろした。

(六年前は私たちもこんなふうに並んで座ってたんだ)

右隣をこっそりと見た。男性は連れの女性の方を向いていて、後ろ姿しか見えない。髪はくせ毛のような柔らかな茶髪で、細身の黒いスーツが長い手脚とすらっとした体軀を引き立てている。女性は三十二、三歳くらいで、ダークグレーのタイトなオフショルダーワンピースを着ている。切れ長の目を強調した隙のないメイクの大人っぽい女性で、連れの男性に妖艶に微笑みかけていた。

蒼生は視線をバーカウンターに落とし、ふうっと息を吐いた。

(省吾のことは今日限りできっちり過去のことにしよう)

心の中で宣言し、決意に満ちた目でバーテンダーを見た。目が合った彼が、すっと前に歩み寄る。

「いかがいたしましょう」

蒼生は一度目を閉じて、六年前に飲んだカクテルの名前を声に出す。

「ムーンライトダンスをお願いします」

そのロマンチックな名前のカクテルは、当時二十三歳だった省吾がオーダーしてくれたものだ。それまでふたりで行くのは手頃な値段で気軽に飲み食べできる居酒屋が多かった。こんなおしゃれなところを調べて連れて来てくれるなんて、省吾も大人になったものだ、と六年前は変な感慨を覚えていた。

「かしこまりました」

バーテンダーは慣れた手つきで、ソーサー型と呼ばれる口の広いシャンパングラスに氷を入れた。シェイカーを取り出し、VODKA《ウオツカ》と書かれた透明のボトルを取り上げ、分量を注ぐ。続いてピーチリキュール、グレープフルーツジュース、レモンジュース、グレナデンシロップを順に加えて、最後に氷を入れた。シェイカーに濾し器《ストレーナー》をかぶせてキャップをする。シャカシャカと小気味いい音を立ててリズミカルにシェイクしたあと、グラスの氷を捨てて中身をグラスに注いだ。

「お待たせしました」

バーテンダーは蒼生の前にコースターと白みがかった淡い黄色のカクテルを置いた。

「ありがとう」

蒼生は笑みを作って礼を言った。かつて蒼生の右隣に座っていた省吾の姿を思い浮かべ、グラスを軽く掲げる。

（捨てられた女から呪いを込めて……なんちゃって）

口に含んだカクテルはフルーティで甘かったが、今も当時も好きだとは思わなかった。

それでも、甘いドリンクをわざわざ頼んでくれたということは、省吾はこのカクテルみたいに甘い関係を私と続けていきたいと考えているからだ、と蒼生は勝手に都合のいいように解釈した。

　しかし、そのときの蒼生はなにもわかっていなかったのだ。

　六年前のことを思い出すと自嘲の笑みが浮かんだ。そのカクテルは、省吾の浮気相手が好きなカクテルだったのだ。

　情けない気持ちに囚《とら》われまいと、左手でセミロングの黒髪をかき上げた。半年前にかけたパーマが緩く残る毛先まで指を通して、ため息をつく。

（しっかりしなきゃ。感傷に浸りに来たんじゃないでしょ）

　心の中で自分を叱って、顔を上げて背筋を伸ばし、グラスに残っていたカクテルを飲み干した。甘いカクテルはまるでジュースのように喉を通り過ぎた。

（過去の私を飲み干してやった）

　蒼生はグラスをコースターに置いて、バーカウンターの向こうに視線を送った。バーテンダーがすぐに気づいて、ご注文をどうぞ、と柔らかな笑みを浮かべる。

「ギムレットをお願いします」

「かしこまりました」

　バーテンダーの穏やかな声を聞きながら、蒼生は視線を動かした。彼の背後の棚には、さまざまな形や大きさのボトルが所狭しと並べられていた。ボトルが棚の上のライトを浴びてリキュールの色が透け、明るい青や緑、茶色や赤に光って幻想的に見える。

　それをぼんやり見ているうちにカクテルができあがり、蒼生の前に新しいグラスが置かれた。

「ありがとう」

蒼生が礼を言ってグラスに手を添えたとき、右側から女性の小声が聞こえてきた。

「あなたの左隣の女性、すごくペース早いわね。きっとお酒に強いのよ。私なんか一杯で酔っちゃった。どうしよう、家にちゃんとたどり着けないかもぉ」

最後は媚びた声になっている。

「それじゃ、もう帰りますか？　タクシーを呼びますよ」

男性が気遣うように言った。

「まだいいわ。もう少しあなたとお話ししたいから」

女性の甘ったるい声を聞いて、蒼生は気恥ずかしくなった。グラスを持ち上げて口元に近づけると、青味のある爽やかなライムの香りが鼻を突く。

二十代前半の省吾にしては、ずいぶん背伸びしてこのカクテルを飲んでいたのではないだろうか。

蒼生は彼の記憶を飲み干すように、グイッとあおった。パンチの効いた味に思わず目を見開いたとき、また女性の声が聞こえてくる。

「バーにひとりで来る女性は男性に誘われるのを待ってるって言うけど、隣の彼女もきっとそれ目当てよ。そうまでしなきゃ男性に相手にされないのかしら。でも、あんな飲みっぷりじゃ逆に引かれるのに。哀れよね」

聞くまいとしても女性の少し高めの声が耳に届いて、蒼生は不愉快になった。

（聞こえない、聞こえない）

腹立ちを押さえようとカクテルを口に含んだとき、男性が低い声でたしなめるように言うのが聞こえた。

「よく知りもしないのに、勝手に決めつけたようなことを言わない方がいいと思いますよ」

女性は不満そうな声で返す。

「あら。彼女、私と同い年くらいだと思うわ。同じ年頃の、しかも同じ女性として、私にはわかっちゃうのよ。だって、彼女、わざわざオノヅカくんの隣に座ったでしょ？　それに、さっきからチラチラ私たちの方を見てるし。あれは絶対飢えて焦ってる女よ」

（飢えて焦ってるって……。その言い方はあんまりでしょ。それに私はまだ二十九歳ですっ。同い年くらいなんて失礼しちゃう）

蒼生は席を移動したくなったが、そんなことをすればふたりの会話を聞いていたと気づかれてしまう。それも気まずい。

蒼生はふたりとは逆の左側に顔を向けた。その間にも女性は話を続けている。

「もし私がトイレに立ったら、その隙にオノヅカくんに声をかける気だわ。でも、そのときはちゃんと断らないとダメよ。ああいう女性に関わるとホント面倒なんだから。遊びのつもりで応じたが最後、食いつかれて離してくれないわよ」

女性の言葉を聞いて、蒼生は腹立ちを通り越して呆れてしまった。

食いついて離すまいとしているのは、そっちの女性の方だ。

蒼生がそう思ったとき、〝オノヅカ〟と呼ばれた男性の冷めた声が聞こえてきた。

「それも同じ年頃の同じ女性としてわかることなんですか？」

女性が声を潜めて答える。

「そうよ。あのくらいの女性は涼しい顔をしてても、実は結婚したくて必死なの。だから、付き合うと厄介よ」

「なるほど。ハラグチさんも厄介な感じですしね」

男性の声には笑みが含まれていた。女性――ハラグチ――の声が高くなる。

「は？　今、私のことを厄介って言った？」

「言いましたよ。ハラグチさん、家にちゃんとたどり着けないくらい酔ったって言ってましたが、正しく聞き取れています」

「なっ」

ハラグチが言葉を失った。

（うわー、隣で痴話げんか勃発！）

蒼生は本気で席を移動したくなった。男性は淡々と言葉を続ける。

「そもそもこうして一緒に飲んでいるのは、ハラグチさんに相談したいことがあるって言われたからなんですよ。無駄に人間観察なんかしてないで、さっさと本題に入ってください」

男性の言葉を聞いて、蒼生は、あれ、と思った。ふたりはカップルだと思っていたが、違ったのだろうか。

女性はタメ口で男性は敬語を使っているということは、男性の方が年下なのだろうか。そのわりには結構きつい言い方をしている。

蒼生は好奇心に駆られて思わずまた右隣を見てしまった。その視線を感じたのか、男性がこちらに目を向け、視線が合った。

目をそらさなくちゃ、と思うのに、魅入られたように彼から目が離せなくなる。

彼は二十代後半くらいで、くっきりした二重の目とキレイな鼻筋、形のいい唇をしていた。いわゆる爽やか系のイケメンだ。今、話題の恋愛ドラマに出ている人気俳優に似ている。

（あんなに辛口な男性が、こんなに甘い外見をしてたなんて……）

驚きのあまり瞬きを忘れて見つめていると、男性は小さく会釈をして蒼生から目をそらした。

「で、俺にいったいなにを相談したいんです？」

蒼生が男性の口調と外見のギャップに驚いている間にも、彼は冷静な声で連れの女性に相談事を話すよう促している。

ふたりがカップルではないということは、ハラグチの方がオノヅカに気があって、隙あらば食いつこうとしているということなのだろうか。

蒼生はバーに来た本来の目的を忘れ、いけないと思いつつも、ふたりの会話に耳を澄ませてしまう。

「あ、それはね、ええと……」

ハラグチが辛口な後輩にペースを乱されて口ごもった。

「仕事の悩み、って言ってましたよね？」

オノヅカに問われ、ハラグチが小声で答える。

「悩んでるのは本当なのよ。ほら、もうひとりの受付の子が寿退社するでしょ。それでまた若い子を雇うんですって。おかげで仕事がやりづらくなってきたのよねぇ……」

「異動を希望しているのなら、俺ではなく人事課の誰かに相談する方がいいと思いますよ」

「そうじゃなくて、オノヅカくんは二ヵ月前に彼女と別れたって聞いたから……私なんかどうかなって」

（ついに言った！）

蒼生は固唾《かたず》を呑んでオノヅカの返答を待った。

「それがどう仕事と関係するんです？」

オノヅカの返答を聞いて、蒼生は拍子抜けした。ここは、普通はイエスかノーで答えるものではないだろうか。

ハラグチの口調に焦りがにじむ。

「あの、ほら、オノヅカくんも新しい彼女ができたら仕事に気合いが入るだろうし、私も同じ社にお付き合いしている人がいるとなれば、唯一フリーの受付嬢として肩身が狭い思いをしなくてすむかな～なんて」

オノヅカがなにも言わないので、ハラグチはおかしな空気をどうにかしようとするかのように、ペラペラとしゃべり続ける。

「オノヅカくんの元カノって法務部のオガワさんでしょ？　オノヅカくん、年上が好きなのよね。私もオガワさんと一歳違いなだけだし、ちょうどいいと思うわけ。私、よく高嶺の花って言われるけど、本当はそんなことないの。受付で澄ました顔して座ってるから、近寄りがたく見られるだけで。本当は料理も得意で意外と家庭的なのよ。だから、どうかな？」

ハラグチの必死さは聞いていて痛々しいぐらいだ。

「それってどこ情報？」

オノヅカが低い声で言った。

「え？」

「俺が年上が好きって、いったいどこの情報なんですか？」

オノヅカの不機嫌そうな声を聞いて、ハラグチはわざとらしいくらい明るい声で答える。

「えっと、オノヅカくんって女心をくすぐるかわいい年下男子って感じだし、年上の女性と付き合ってたこともあるから、年上が好きなのかな～って」

「俺は年上だとか年下だとか、そういう理由で女性を好きになることはありません」

オノヅカが愛想のかけらもない声で言った。ハラグチはしばらく黙っていたが、やがて開き直ったように言う。

「じゃあ、年齢抜きで私と付き合って」

「無理です」

オノヅカが即答し、ハラグチの声が大きくなる。

「無理ってどうして⁉」

「文字通りですよ」

「どうして無理なのか、ちゃんと理由を説明して」

ハラグチは引き下がらない。

「相性とか考え方とか、違いすぎていかにも合いそうにないからです」

オノヅカがそう言ってグラスを取り上げたのが、蒼生の目の端に映った。ハラグチは懸命に取りなすように言う。

「相性なんか付き合ってみないとわからないでしょ？　それに、考え方だって、違いがあった方がおもしろいってこともあると思うわ」

「付き合わなくてもわかりますよ」

「どうしてよ？」

「だって、ハラグチさん、面倒くさそうだから」

「な……」

ハラグチは言葉を失ったが、蒼生も同様に驚いた。

このオノヅカという男は、職場の先輩に向かってなんてことを言い出すのだろうか。

蒼生はヒヤヒヤしながら右隣を見た。ハラグチは真っ赤な顔で声を荒らげる。

「もういい！　私が間違ってた！　オノヅカくんのこと、癒やし系のかわいい後輩だなんて思い込んだ私が悪かったわ！」

「なんの根拠があって俺を癒やし系に分類するんです？　ハラグチさんって本当に思い込みが激しいんですね」

オノヅカがクスッと笑ったことがハラグチの怒りの火に油を注いだのだろう。彼女はすっくと立ち上がった。

「もう帰るわっ。私と付き合いたがってる男性はほかにもいるんだからね！　後悔しても遅いんだからっ」

「後悔なんてしませんよ」

オノヅカはあっさり答えた。彼は先輩を怒らせても平気なようだ。

「すっごいムカつく！」

ハラグチはそう言い捨てて、早足でバーを出て行った。ハラグチの勢いにあおられてドアが数回スウィングしたあと、バーに静寂が戻る。二十人くらいいる客の視線が集まっていたことに気づき、オノヅカは誰へともなく小さく頭を下げた。

「お騒がせして申し訳ありません」

そう言ってカクテルグラスに向き直り、続きを飲み始めた。

こんなに注目を集めていながらも、本人は至って冷静だ。蒼生だったら恥ずかしくなってすぐにでも帰ってしまっただろう。だが、当の彼は表情ひとつ変えずに、ゆっくりとカクテルを楽しんでいる。

蒼生は関心を自分のカクテルに戻した。グラスを取り上げて口元へ運ぶと、ガツンと来る味に喉が熱を帯びる。

蒼生は小さく咳払いをした。強烈なふたりを見てしまったせいで、本来の目的を忘れるところだった。今夜は、省吾との恋が完全に思い出になっていることを確かめるために、彼と最後に来た場所をたどるつもりにしていたのだ。

蒼生は残っていたギムレットを飲み干し、グラスをコースターに戻した。酔いが回ってきたのか、顔が熱い。

蒼生は右手を頬に当てた。

（あの浮気男！）

まぶたを閉じると、六年前に最後に見た省吾の顔が浮かんだ。生まれたときから近所に住んでいて、同じ幼稚園、小学校、中学校に通った。家族ぐるみで仲が良く、蒼生の両親が仕事で遅くなるときには、省吾の家で夕飯を食べさせてもらったこともあった。そばにいるのが当たり前だったから、別々の高校に進学して省吾が隣にいないことがすごく変な感じだった。それは省吾も同じだったようで、気づいたら自然と幼馴染みから恋人になっていた。同じ大学へ入学し、両家の両親はもとより近所でも公認の仲で、就職したら結婚するのだと誰もが思っていた。省吾の母には『蒼生ちゃんがお嫁に来てくれるのが待ち遠しい』と何度も言われたものだ。

蒼生自身、省吾も同じ思いだと信じていた。

そして、同じ外資系大手ソフトウェアメーカーに就職したが、蒼生は大阪支社、省吾は東京本社に配属された。しかし一年間、遠距離恋愛を続けている間に、省吾は変わってしまった。六年前の今日この日、二ヵ月ぶりに会った蒼生を抱いたあと、『やっぱりこのまま流されて、男としての人生に幕を引きたくない』とのたまったのだ。

（ふざけるなっつーの！）

思い出すとフツフツと怒りが湧いてきた。省吾は東京本社で親しくなった同僚の女性と、いつの間にか肉体的にも親しくなっていた。

『蒼生と寝たら、ああこんなもんなのかなって毎回思ってたけど、彼女とは違うんだ。なんていうか……すごく満たされる。彼女も言ってたんだ。〝いくら幼馴染みでしがらみがあるからって、たったひとりの女性に縛られないで〟って。その通りだと思う。今日、蒼生を抱いて確信した。蒼生は俺にとって大切な幼馴染みだけど、それ以上でもそれ以下でもない。長い間一緒にいすぎて、それ以上だと思い込んでしまっただけなんだ』

省吾はそう言って一方的に別れを告げ、蒼生をラブホテルの部屋にひとり残して出ていった。蒼生は彼の温もりが残る体を冷たくなったシーツにくるんで、声が枯れるまで泣いた。泣いて泣いて、体が干からびて消えてしまえばいい。そう思うくらい泣いた。

その後、実家に戻った省吾と蒼生が、自分たちが別れたことをそれぞれ両親に報告したため、ふたりの破局は近所にも、やがては勤務先の同僚にも知られた。初めは激怒していた蒼生の父と妹は、そのうち腫れ物にでも触るように蒼生に過剰に気を遣うようになった。妹に至っては、彼氏をまったく家に連れてこなくなった。母はことあるごとに省吾への怒りをぶちまけた。

蒼生は家にも会社にも居づらくなって、ひとり暮らしを始め、その二週間後に退職した。手に職をつけようと通信で翻訳講座を受講し、現在は在宅翻訳者として働いている。最初は仕事も少なく、貯金を取り崩して生活していたが、今では仕事量も安定して、ひとりで充分暮らせている。

男性には裏切られたけど、きちんと積み上げた仕事の実績は自分を裏切らない。

蒼生は目を開けて深呼吸をした。

(よし、もう一杯飲んですっきりしたら、次の目的地へ行こう)

次はなにを飲もうかと思案する。

せっかく雰囲気のいいバーに来たんだから、なにかおしゃれなカクテルを頼もうと考えたが、思いつかなかった。頭を悩ませているうちに、ふと楽しいことを思いついた。蒼生はバーテンダーに目で合図をして、次のドリンクを注文する。

「ウォッカマティーニを。ステアではなくシェイクで」

「かしこまりました」

バーテンダーは意味ありげに微笑み、シェイカーを取り出した。ウォッカとドライベルモットを入れ、氷を加えて濾し器を被せて蓋をする。それをギムレットのときと同じようにシェイクし始めた。

“Vodka《ウォッカ》 matini《マティーニ》, shaken《シェイクン》 not《ノット》 stirred《スティアード》.”

大好きなスパイ映画で男性主人公が言ったイギリス訛《なま》りのセリフが耳に蘇る。普通は軽く混ぜただけのステアで出されるウォッカマティーニを、その主人公はわざわざシェイクで注文したのだ。

バーテンダーがシェイカーの中身を冷やしたカクテルグラスに注ぎ、カクテルピンを刺したオリーブを沈めた。

「お待たせしました」

「ありがとう」

蒼生はコースターに置かれたグラスをそっと取り上げ、口をつけた。なんとも冷たくて、喉を通り過ぎたあと身体中が爽やかな気分に満たされる。

蒼生が微笑んだのに気づいて、バーテンダーが言う。

「例の映画シリーズのファンなんですね？」

「はい！　シェイクのウォッカマティーニは映画で何度も見て、ずっと気になってたんですけど、飲むのは初めてなんです」

「そうなんですか。シェイクすると、普通にステアしたものより、冷たくて飲み口が柔らかくなるんですよ。映画ファンの方からたまに注文を受けます。実は今日もお客様でふたり目なんです」

「ホントですか！」

蒼生が興味を持ったからか、バーテンダーはまだなにか話をしようと口を開きかけた。だが、テーブルの客から会計の合図を受けて、「失礼します」とカウンターから離れた。

自分以外にも同じカクテルを注文した人がいたと知って、蒼生はなんだか嬉しさを覚えた。ウォッカマティーニを飲むうちに、どんどん酔いが回って、わけもなく楽しい気分になってくる。

こうなったら、有名な小説や映画に出てくるカクテルを制覇してしまおうかとも考えたが、オリーブの実をかじったところで、これ以上飲むと次の目的地へ行けなくなりそうだと理性が警鐘を鳴らした。

（次のカクテルは、新しい恋をしたときに）

蒼生は名残惜しい気持ちになりながらも、会計をしてもらうべく、バーテンダーに合図を送った。

第二章　他人の恋のとばっちり

「ありがとうございました」

会計処理を終えたバーテンダーが、蒼生にクレジットカードとレシートを差し出した。

「ごちそうさまでした」

蒼生は受け取って財布に入れ、財布をクラッチバッグに戻した。六年前も同じバッグを使っていたが、中身はそのときよりも増えているため、バッグはパンパンだ。どうにかマグネットボタンを留めて、ゆっくりと立ち上がった。

顔は熱いし頭はぼんやりするし、足元もおぼつかない。飲み過ぎてしまったかもしれない。

「お気をつけて」

バーテンダーの声を背中で聞きながら、蒼生はドアを開けた。その瞬間、蒸し暑い外気に包まれて、気だるく息を吐く。

「なんでこのバーは地下にあるんだろ……」

目の前にある階段を見て、ため息混じりに文句を言った。手すりに摑まって、ゆっくりと階段を上る。地上が見えてきたところで、出口付近に人影があるのに気づいた。

足がふらつくので手すりを頼りに上りたいが、出口を塞いでいる人が邪魔で、手すりから離れざるをえない。

ため息をついて手すりから手を離し、足元を見ながら斜め上方向に上る。ようやく一番上に達したとき、人影が目の前に立ちふさがった。

（邪魔だなぁ）

蒼生はとろりとした目で顔を上げた。そこにはさっきバーから出ていったはずの女性が立っていて、険しい表情で蒼生を睨んでいる。

「……ハラグチさん」

蒼生が記憶をたどりながら相手の名前を口にすると、ハラグチの表情がさらに険しくなった。蒼生と同じ一六〇センチくらいで細身なのに、顔つきのせいですごい迫力だ。

「やっぱり私たちの会話を盗み聞きしてたのね！」

「盗み聞きって……別に聞きたくて聞いたわけじゃないんです。あなたが私のことを引き合いに出すから……」

つい気になって、という言葉は呑み込んだ。ハラグチは嚙みつくように言う。

「わざわざオノヅカくんの隣に座るからでしょ！　誘われたいって見え見えの仕草で」

「見え見えの仕草？」

蒼生は首を傾げた。

「これ見よがしに髪をかき上げたり、ため息をついたり。オノヅカくんを見つめてたときだってあったたじゃないのよっ」

「あー……あれは……」

ふたりの関係が気になって見てしまっただけだ。彼がイケメンすぎて目を奪われたのは確かだが、それを言うとややこしいことになりそうだ。

蒼生はできるだけ穏やかな口調を心がける。

「別にオノヅカさんの気を惹きたかったわけじゃないんです」

「よく言うわ。あなたがあんなふうにするから、私、つい張り合って必死になってしまったじゃないの！」

ハラグチがケンカ腰なので、蒼生は胸の前で小さく両手を挙げた。

人のせいにしないで、なんて言ったら、余計に怒りそうだ。

蒼生は話題を変えることにする。

「オノヅカさんはまだバーにいましたよ。あなただって本当は仲直りしたいんじゃないんですか？」

蒼生の言い方が気に入らなかったのか、ハラグチの声が高くなる。

「あなたに私の気持ちがわかるもんですか！」

「うーん、そう言われればそうですよね。私はあなたじゃないから、本当は仲直りなんかしたくないって思ってても、それはもちろん私にはわかりませんけど……」

蒼生は酔ってろくに回転しない頭で、できるだけ誠実に答えようとした。だが、それが裏目に出たようだ。バカにされたと思ったのか、ハラグチは一歩蒼生に詰め寄った。

「私から謝るわけないでしょ！　オノヅカくんが私を追いかけてきて、謝らなくちゃいけないの！」

蒼生は目を丸くした。ハラグチは外見は知的で大人っぽいのに、中身はとんでもなく子どもっぽい。

「ここにもすごいギャップのある人がいた」

思わずつぶやいてしまい、ハラグチにさらに詰め寄られる。

「なによ、ギャップって」

「あ、えっとぉ……」

これ以上正直に言ってはいけない、ということだけは酔った頭でも理解できた。

「すみません、私、そろそろ失礼しますねー」

オノヅカも言っていた通り、ハラグチはかなり面倒くさい人間だ。

蒼生はハラグチを避けるように足を踏み出したが、その前に彼女が立ちふさがった。

「話はまだ終わってないわ」

「え、終わりましたよ。っていうか、もう終わらせましょうよ」

「あんた、バカにしてんの⁉」

ハラグチが声を荒らげて迫ってくるので、蒼生は反射的に右足を後ろに引いた。だが、右足の下に地面は半分しかなく、蒼生はバランスを崩して階段を滑り落ちていく。

「きゃあっ」

胃が浮き上がる不快感と恐怖に襲われ、数段落ちたところで背中に軽い衝撃を受けた。なにがなんだかわからずショックでぼんやりしていると、気遣わしげな表情のオノヅカに、背後から顔を覗き込まれた。

「大丈夫ですか？」

「え」

気づけば後ろから彼に両肩を摑まれていた。階段から後ろ向きに落ちた蒼生を、ちょうど上ってきた彼が支えて止めてくれたのだ。

「あ」

蒼生は礼を言おうとしたが、まだ言葉が出てこなかった。そんな彼女を支えたまま、オノヅカがハラグチを見上げて厳しい口調で言う。

「ハラグチさん、下りてきてください」

「ど、どうしてよ」

階段の上からハラグチのうろたえた声が降ってきた。

「言わなければわかりませんか？　この女性が階段から落ちたのはハラグチさんのせいじゃないですか」

「ち、違うわよ！　その人が勝手に足を踏み外したのっ。私は悪くないわ！」

自分を挟んでの言い合いが始まり、蒼生はショックから覚めてげんなりしてきた。これから行かなければならないところがまだあるのだ。他人の恋のとばっちりを食っているヒマはない。

「あの、落ちたのは私の不注意なんで、気にしないでください」

蒼生はそう言ってまっすぐ立とうとしたが、右足首に激痛が走って思わずよろけた。

「大丈夫ですか？」

オノヅカがさっと蒼生の背中を支えた。

「すみません」

「足を捻《ひね》りましたか？」

彼が心配そうに言ったとき、またハラグチの声が降ってくる。

「怪我したフリをしてるだけなのよっ。そういう手口なの！　騙されちゃダメだってば」

「いいかげんにしてください！」

オノヅカに一喝され、ハラグチが唇を引き結ぶのが見えた。蒼生はこれ以上関わり合いになりたくなくて、痛みをこらえてまっすぐ立った。

「大丈夫です。酔ってふらついただけなんで」

「本当ですか？」

オノヅカは疑わしげに言ったが、蒼生はコクコクとうなずいた。

「はい」

「その人もそう言ってるし、オノヅカくん、帰りましょ」

階段の上からハラグチが呼びかけた。蒼生は促すように言う。

「助けてくださってありがとうございました。どうぞお帰りください」

「オノヅカくんってば！」

ハラグチの声を聞いて、オノヅカが険しい表情になる。

「その前に言うべきことがあるはずです」

ハラグチはこれ見よがしに大きなため息をつき、抑揚のない声で言う。

「どーもごめんなさいねー」

「心がこもってません。そんな謝罪ならしない方がマシだ」

「ちゃんと謝ったわよっ！」

また言い争いが始まり、蒼生はうんざりしてきた。

「あのー、ホントにもういいんで……こんなところでケンカしてないで、どうぞお帰りください」

蒼生の言葉を聞いて、オノヅカが気まずい表情になり、深々と頭を下げた。

「ご迷惑をおかけして本当に申し訳ありませんでした」

「もういいですって。足を踏み外したのは私で、彼女に押されたわけじゃありませんから」

顔を上げた彼に、蒼生はぎこちなく微笑んでみせた。

「さよなら」

蒼生が会釈をすると、彼は一礼して階段を上り始めた。だが、途中で振り返って蒼生を見るので、蒼生は大きく手を振った。

「さすがに三杯は飲みすぎたみたいです」

「オノヅカくん！」

彼は蒼生をしばらく心配そうに見ていたが、上から呼ばれて仕方なさそうに階段を上り始めた。上で待っていたハラグチがオノヅカに並んで歩き出す。

「私、先に帰ろうと思ったのよ。でも、やっぱりオノヅカくんをひとりにしちゃいけないなって思って。オノヅカくんも酔ってたんでしょ。わかるわ。私も酔ってると、つい心にもないことを言っちゃうのよね」

ハラグチの声が小さくなり、蒼生はゆっくりと階段に腰を下ろした。

「踏んだり蹴ったりってやつね……」

蒼生はふうっと息を吐いて頭を抱えた。右足首がじんじん痛んで、すぐに歩けそうにない。

「これじゃ、今日の予定を全部果たすのは無理かぁ……」

蒼生は肩を落として夜空を見上げた。隠れ家的なバーとはいえ、あるのは繁華街の一角だ。都会の空に星はまったくと言っていいほど見えない。しばらく空を眺めていたが、右足の痛みはいっこうに引かなかった。

だが、とにかく階段の上まで行かなければ、タクシーだって摑まえられない。

蒼生は手すりに体重をかけながら、どうにか立ち上がった。

右足を先に出すから痛いのかもしれない。そう思って左足を持ち上げようとしたが、右足に体重をかけたとたんに痛みが走り、その場にガクッとくずおれた。弾みで右の向こうずねを階段の角にしたたたかぶつけてしまう。

「いーっ」

いわゆる弁慶の泣き所を押さえてその場にうずくまると、今度はバランスを崩して尻餅をつきそうになった。必死で手すりに摑まって、肩で息をする。

「ま、また落ちるところだった……」

冷や汗を拭ったとき、誰かが道路を走ってくる足音が聞こえてきた。

こんなところにいつまでもいたら、階段で悶えている怪しい人だと思われてしまいそうだ。

蒼生は目が合わないように顔を伏せ、うずくまったままバッグの中身を探っているふりをする。そうしている間にも靴音は近づいてきて、ついには階段を駆け下りてきた。

（私は道端の石です～。どうぞ素通りしてください～）

蒼生が心の中で念じたとき、背中にそっと誰かの手が添えられた。

「右足首、痛むんですよね？」

聞き覚えのある声に顔を上げると、オノヅカがそばで片膝を突いていた。

「ど、どうしたんですか？」

蒼生の問いかけに答えず、彼が言う。

「右足、捻挫《ねんざ》しましたね？」

「どうしてわかるんです？」

「見ればわかります」

彼は当然だと言いたげな表情で言った。

「あ、そうですか……」

心配をかけないようにと精一杯造った笑顔も無駄だったようだ。蒼生は肩を落とした。

「近くの薬局で湿布と包帯を買ってきました」

彼が右手に持っていた小さなビニール袋を持ち上げてみせた。白いビニール袋には緑の文字でドラッグストアチェーンの名前がプリントされている。

「帰ったんじゃなかったんですか？」

「怪我人を放って帰れるわけないでしょう」

「そ、それはすみません……」

蒼生はビニール袋を受け取ろうとしたが、彼は袋をサッと引っ込めた。

「冷やして固定します。座ってください」

蒼生がきょとんとして彼を見ると、左手が差し出された。

「どうぞ摑まって。階段に座ってください」

キビキビした声で言われて、蒼生は彼の手にそっと自分の手をのせた。そして促されるまま、体の向きを変えて階段に腰を下ろす。

「靴、脱がせますよ」

オノヅカが手を伸ばして蒼生の右足に触れた。

「えっ」

蒼生は慌てて足を引っ込めようとしたが、ズキンと痛んで顔をしかめた。

「捻挫を甘く見てはダメです」

彼は諭すように言って、蒼生の足からサンダルをゆっくりと抜き取った。

「こっちも脱がせますよ」

左足のサンダルも脱がされる。いったいなんのために、と思っていると、彼が蒼生の両足を両手のひらにのせた。

「な、なにするんですかっ」

見ず知らずの男性に足を直に触られ、蒼生は思わず声を上げた。

「我慢してください。違いを見てるんです」

彼がじっと蒼生の左右の足を見比べるので、蒼生は緊張から肌がじんわりと汗ばむのを感じた。

（や、やだな……）

そのとき、オノヅカの指先が蒼生の右足の甲をすっとなぞった。

「なにっ」

思わず声を上げてしまうと、彼は上目遣いで蒼生を見る。

「痛いですよね」

「え？」

「ほら、ここ。腫《は》れてるのがわかります？」

オノヅカに両足の甲から足首にかけてそっとなぞられ、蒼生は息が止まりそうになった。どうにかうなずいたとき、左足をサンダルへと導かれる。

「左足はもういいですよ」

彼に言われて蒼生が左足をサンダルに入れている間、彼は蒼生の右足を膝の上にのせた。脚を持ち上げられたせいで膝が露わになり、蒼生はとっさに濃紺のワンピースの裾を引き下げた。自分がされていることの恥ずかしさにいたたまれなくなって、顔を赤くする蒼生に、オノヅカが淡々とした口調で言う。

「応急処置をするだけです」

（いや、そりゃ、そうでしょうよ！）

蒼生は心の中でツッコミを入れた。彼はビニール袋から白い箱を取り出した。開けて中から湿布を一枚抜き出し、透明フィルムを剥がして蒼生の足首にそっとのせる。

「ひゃ」

冷たくて驚いたが、すぐに清涼感のある冷たさが心地よくなった。

「はぁ、気持ちいい」

「鎮痛効果もありますから」

オノヅカは蒼生の足を自分の膝にのせたまま、慣れた手つきで包帯を巻いた。最後にサージカルテープで固定する。

「これで少しはマシになったんじゃないかな」

蒼生は彼が差し出した右手に摑まって、そっと立ち上がり、サンダルに右足を入れた。

「あ、ホントだ」

包帯を巻かれた分、サンダルを窮屈に感じるが、しっかり固定されているおかげで、立ったときの痛みは格段に和らいでいた。

「わざわざ……ありがとうございました」

「歩けますか？」

蒼生は彼の手を借りたまま、そっと一段上った。まったく痛くないと言えば嘘になるが、このくらいならひとりでも歩けそうだ。

「大丈夫みたいです」

階段を上り終えて、蒼生は彼に向き直った。

「ありがとうございました。湿布と包帯のお金、お支払いします」

「いいえ。原因はこちら側にありますから」

オノヅカは首を横に振って断った。

確かに私が階段から落ちたのは、ハラグチさんが変な言いがかりをつけてきたからで……そのハラグチさんがキレた原因がこの人にないとは言えないけれど……。

そう思った蒼生は、今になって彼女のことを思い出した。

「あの……大丈夫なんですか？」

「なにがです？」

オノヅカは怪訝そうな表情になった。

「さっきの……ハラグチさん。どこかで待ってるんでしょう？」

「どうして彼女が俺を待つ必要があるんです？」

彼に訊き返されて、蒼生は瞬きをした。

「や……だって、会社の先輩でしょ？」

「確かにそうですが、先に帰ってもらいました。ついて来ても、また不愉快なことを言い出しそうですからね」

彼は小さく肩をすくめたが、すぐに真顔になった。

「あなたにはとんだとばっちりでしたよね。本当に申し訳ありませんでした」

オノヅカは丁寧に頭を下げた。

ハラグチの行動は非常識だと感じたが、恋に破れた女性はときとして愚かになる。それは蒼生にも思い当たる節がある。

「でも……好きな人に冷たくされたら、誰でもあんな行動を取ってしまうかもしれませんよ」

蒼生がついかばうようなことを言ったので、オノヅカは心外だと言いたげな表情になった。

「それじゃ、彼女のあの行動は俺のせいだというんですか？」

「そうは言ってません」

「では、あなたは好きでもない女性に思わせぶりなことを言えと？」

「そうは言ってませんってば。でも、ふたりきりで飲みに行けるとなった時点で、期待してしまうと思いますよ」

蒼生だって、六年前、省吾に〝ブルームーン〟に誘われたときは、そのあとに終わりが待っているなんて思いもしなかった。

オノヅカは不満顔で言う。

「彼女は〝相談したいことがある〟って言ってたんですよ。部署は違っても同じ会社の先輩なんだから、そう頼まれたら応じるのが当然でしょう？」

「でも、〝あなたに告白したいので一緒に飲みに行きませんか〟なんて言えるわけないじゃないですか」

「なるほど。回りくどいな。やっぱり彼女は面倒な人だ」

彼の物言いに蒼生は思わず苦笑した。

「一応先輩なのに」

「自分の目的を達成するために、〝相談したいことがある〟って嘘をついたんですよ」

「嘘って言うほど大げさなものじゃないと思いますけど」

蒼生の言葉に、オノヅカは腑に落ちないと言いたげな顔をした。

（なんだか理屈っぽくて難しい人。オノヅカさんだって面倒くさいよ。ハラグチさんは彼のどこを好きになったんだろう。もしかして……顔？）

蒼生自身、彼を初めて見たときは、癒やし系の爽やかイケメンだと思った。だが、それはほんの数秒間のことだった。こんなに甘くて爽やかな外見で毒舌だなんて、人はホントに見かけによらないものだ。

とはいえ、蒼生の捻挫に気づいて、わざわざ薬局に寄って戻ってきてくれたのだから、口にする言葉は冷たくても悪い男性ではないのだろう。

そんなことを思ったとき、彼が口を開いた。

「送っていきますよ」

「え？」

「送らせてください」

彼は礼儀正しく言って、左手を差し出した。うらやましいくらいくっきりした二重の瞳には、責任感がにじんでいた。

「さすがにそこまでは……」

蒼生は断ろうとしたが、彼は強い口調で言う。

「いいえ、ぜひそうさせてください。俺の気がすまないので」

それでも蒼生がためらっていると、彼は左手を蒼生の右手に近づけた。

「どうぞ摑まってください」

強い光をたたえた瞳は、彼の決意が揺るがないことを伝えていた。

ここまで言ってくれるのなら、最後まで責任を取ってもらってもいいのかもしれない。

蒼生は差し出された手にそっと自分の手を重ねた。それまで何度か触れているとはいえ、知らない男性の手だ。緊張するが、目的達成のためには必要だ。

蒼生は酔って潤んだ目で彼を見上げ、左手でゆっくりと右手前方を指差した。

「じゃあ……あのホテルまで、いいですか？」

彼は蒼生の指の先に視線を送った。シューズショップの入る三階建てビルの向こうに、ヨーロッパの城のような建物があり、壁には白と青の電飾が滝のように流れている。ファッションビルやしゃれたレストランの近くにあるのが明らかに場違いで、誰が見てもラブホテルだとわかる。

「ええと……」

彼が困惑したように蒼生を見た。

「あのホテルです。あそこに連れていってください」

蒼生はきっぱりと言った。

第三章　だらしない女!?

「それは……」

オノヅカが唾を飲み込むのが、喉仏《のどぼとけ》が上下したのでわかった。

「……無理です」

今まで歯に衣着せぬ言い方をしていた彼が、初めて躊躇《ちゅうちょ》してから答えた。蒼生は不満顔で返す。

「送るって言ってくれたからお願いしたのに。それならひとりで行くからいいです」

蒼生は右足をかばいながら歩き出した。二、三歩オノヅカから離れたとき、彼の声が背後から追いかけてくる。

「いや、ちょっと。なんでひとりで？　あ、そうか、待ち合わせですか？　でも、足の状態を考えたら今日はしない方が」

蒼生は足を止めて振り返った。

「今日しなくちゃいけないんです。今日じゃなきゃダメなんです」

蒼生の思い詰めた表情を見て、オノヅカが眉をひそめた。

「そこまで言うなら、相手の方に事情を話して、迎えに来てもらったらいいじゃないですか」

蒼生は首を傾げた。

「相手の方?」

「そうです。あのホテルで……誰かが待ってるんでしょう? 恋人ならあなたが捻挫したことを話せば、迎えに来てくれるんじゃないですか?」

オノヅカが考えていることがようやく蒼生にもわかった。彼は蒼生があのラブホテルに行くのは、恋人がそこで待っているからだと思っているのだ。

蒼生は苦い笑みを浮かべた。

「誰も待っていません。ひとりで泊まろうと思っただけです」

「ひとりで⁉ それならなにもあそこじゃなくてもいいでしょう。近くのビジネスホテルに案内します」

蒼生はビジネスホテルじゃ意味がないんだけどなぁ、と思いながら、目当てのラブホテルに視線を向けた。

「あのホテルじゃなきゃ、六年前の恋を終わらせることができないんです」

「六年前の恋……?」

オノヅカの訝しげな低い声を聞いて、蒼生はハッとした。

「あー、やっぱりどうかしてますよね。昔の彼とのことを吹っ切るために、彼と行った場所をめぐるなんて。友達にも驚かれたんです。やっぱりバカみたいですよねーっ」

あはは、と声を上げて笑うと、オノヅカはいたわるような表情になった。

「バカみたいだとは思いませんよ。そういう理由でしたら、送りましょう」

彼は言って、右手で蒼生の手を取り、左の二の腕へと導いた。

「え？」

蒼生はきょとんとして彼の顔と腕を交互に見る。

「こうやって摑まる方が足の負担にならないですよ。さあ」

オノヅカが促すように左肘を持ち上げた。

「あ、ありがとうございます」

蒼生はおずおずと彼の左腕に摑まった。スーツに包まれているが、筋肉質で硬く、逞《たくま》しい腕なのだとわかる。

「体重を預けてくれて構いませんから」

そうは言われても、男性の腕に自分の腕を絡めるなんて六年ぶりだ。しかも相手は会ったばかりの人なのだ。蒼生は緊張してぎこちない動作で腕を絡めた。

蒼生が摑まったのを確認して、彼はゆっくりと歩き出した。角を曲がると、休憩いくら宿泊いくらと書かれた看板が見えてきて、蒼生は今さらながら気まずさを覚える。

「よく考えたら、私、初対面の方にとんでもないお願いをしたんですね……」

「今さら何を言ってるんですか」

オノヅカは苦笑した。

「まあ……それはそうですけど……」

蒼生は言葉を濁し、そのまま彼とともにホテルのフロントに入った。壁にパネルがあり、各部屋の写真が一覧になって表示されている。利用者はそこから部屋を選ぶ仕組みだ。けれども、今は満室で、空きを示す明かりはどのパネルにもついていなかった。

「そちらの待合室でお待ちください」

フロントデスクの奥にいた五十歳くらいの女性に声をかけられ、蒼生はビクッと背筋を震わせた。ただ目つきが鋭いだけなのだろうが、その女性に見られて、蒼生は見ず知らずの男性とホテルに入ろうとしていることを咎《とが》められているような気になってきた。恥ずかしさに頬がほてり、後ろめたさを覚える。

「あ、や……空いてないみたいだし……今日はいいです」

蒼生はオノヅカの腕を引っ張るようにしながらホテルを出た。そうしてできるだけ早くそこから離れようと、足を動かす。角を曲がって〝ブルームーン〟が近づいてきたところで、オノヅカに腕を引っ張られた。

「そんなに急いで足が痛みませんか?」

「あ、すみません、大丈夫です。いえ、本当は痛いです。でも、それどころじゃなくて」

蒼生は赤い顔のまま息を吐いた。

「昔の彼を吹っ切りたかったんじゃないんですか?」

オノヅカに問われて、蒼生は視線を落とした。

「そうだったんですけど、あのままあなたと待合室で待つわけにもいかないでしょ？　また日を改めます」

「また来るつもりなんですね。そうまでしなければ忘れられない人なんですか？」

オノヅカに問われて、蒼生は黙ったまま考えた。

（別に忘れられないわけじゃない。もう少しも好きじゃない。ただ、彼との最後の思い出に触れて、もうなにも感じないんだって確信したかっただけ……）

そうすれば、また省吾に会っても彼の幸せを祝福できるのではないかと思ったのだ。

蒼生がなにも言わないので、オノヅカは彼の腕に掴まったままの蒼生の手に軽く触れた。

「すみません、立ち入ったことを訊いて。今日はホテルに行かないつもりなら、タクシーで自宅まで送りましょう」

「ごめんなさい」

「謝らなくていいですよ。あなたに予定変更を余儀なくさせたのはこちらですから。お住まいはどちらですか？」

「松原市《まつばら》です」

「俺は藤井寺《ふじいでら》なんで、あなたを送ってから帰るのにちょうどいいです」

大通りに出ると、オノヅカが右手を挙げてタクシーを停めた。

「お先にどうぞ」

オノヅカに促され、蒼生は彼の手を借りて乗り込んだ。彼が乗ってから、蒼生は運転手に住所を伝えた。

「高速を使っていいですか？」

「はい」

蒼生の返事を聞いて、運転手はアクセルを踏んだ。タクシーがゆっくりと走り出し、蒼生は人心地ついて座席に背を預ける。

車内にはラジオのニュースが低音量で流れていた。蒼生がふと左側を見ると、オノヅカが気づいてこちらに顔を向けた。目が合って、彼が静かに口を開く。

「ブルームーンも思い出の場所だったんですか？」

「あー、はい。本当はオノヅカさんの席に座りたかったんです。六年前は私があそこに座ってて、ハラグチさんの席に彼が座っていました」

「そうだったんですか」

「それでつい隣に座ってしまって……」

そのせいでハラグチがあんなことを言い出したのだ、と思うと、彼女に対して申し訳ない気持ちになってきた。

「ハラグチさんがあんなふうに言ったのは、私が隣に座ったからだと思います。だから、ハラグチさんのこと、大目に見てあげてくださいね」

蒼生の言葉を聞いて、オノヅカはしばらく黙ったまま考えていたが、やがて言った。

「努力します」

「努力？」

蒼生は怪訝に思って訊き返した。

「できるだけ、ね」

「それって努力する気あるんですか？」

蒼生の問いに、彼は軽く肩をすくめた。

「関係ないあなたを巻き込むようなことをするのは、やっぱり間違ってると思うから」

オノヅカの気遣いをありがたく思って、蒼生はなんだか胸がくすぐったくなった。

「ありがとうございます」

つい礼を言ってしまい、オノヅカが目を見開いた。

「捻挫させられたのにどうして礼なんか言うんです？」

「や、なんかちょっと嬉しくて」

「嬉しい？」

「はい。気遣ってもらえたことが嬉しかったんです」

「よくわかりませんね。普通なら俺たちに対して怒ると思うんですが」

普通なら……。

省吾との出来事があってからしばらくは、必要以上に腹を立てたり泣いたり八つ当たりしたり、自分らしくないことをたくさんした。そのときのコントロールできないほど乱れた気持ちを思えば、他人のケンカのとばっちりを食らって捻挫したことなんて、精神的にたいしたダメージではない。

蒼生はしばらく窓の外を流れていく高速道路の景色を見ていたが、窓ガラスに彼の横顔が映っているのに気づいた。黙っていれば本当に甘くて優しい横顔をしている。

オノヅカは本当にイケメンだ。こういう人なら女性が放っておくわけがない。会社でもモテモテだろう……。

そんなことを思いながら外を眺めているうちに、タクシーは高速道路を下りて住宅街に入った。ほどなくして、蒼生の住む白壁の七階建てマンションが見えてくる。蒼生は運転手に駐車場の手前で停めてくれるように頼んだ。

「ここまでの分は私が……」

蒼生がクラッチバッグを開けたのを見て、オノヅカが左手を小さく挙げて制した。

「こちらのせいなので。それに自宅まで送るって約束しました」

彼はきっぱりと言って、自分の財布からクレジットカードを出して運転手に渡した。

「これで精算してください」

その言葉を聞いて蒼生は驚いた。オノヅカは自宅までと言ったけれど、蒼生の部屋の前まで来るつもりだったのか。

蒼生が彼の責任感の強さに圧倒されているうちに、彼は先に降りて蒼生に手を差し出した。

「ありがとうございます」

蒼生はシートの上をのそのそと移動し、オノヅカの手を握った。左足を地面に着いてから、ゆっくりと右足を下ろす。そのまま彼は蒼生の手を自分の左肘へと導いた。蒼生は今回、素直に彼の親切に甘え、彼の腕に自分の腕を絡めた。

「もう少しがんばってくださいね」

彼にいたわるような笑顔で優しい声をかけられて、蒼生は胸がじぃんとしてきた。エントランスでは彼が蒼生のために重いガラス戸を開けて、エレベーターに乗るときもさりげなく支えてくれる。

「六〇五号室なんです」

蒼生が言い、彼は六階ボタンを押した。エレベーターはゆっくりと上昇して六階に到着した。

人恋しさからか、もうすぐ彼が帰ってしまうのだと思うと、蒼生は心に寂しさのようなものが芽生えるのを感じた。

(と、友達になってくださいなんて言うのは……唐突すぎるかな。それよりまずはこんなに親切にしてくれたんだから、お礼にお茶を出す方が自然かもしれない……)

蒼生がどう切り出そうか迷っているうちに、六〇五号室のドアの前に到着した。

「名刺をお渡しします。怪我が思ったよりひどかったとか、困ったことがあったら連絡してください」

　オノヅカが右手を内ポケットに入れたので、蒼生は彼の腕から手を離した。彼は革製の名刺入れを取り出し、一枚抜いて差し出した。

「オノヅカユウキと申します」

　蒼生に向けられた名刺には、カタカナの長い社名のほかに、小野塚優貴《おのづかゆうき》と名前が印字されていた。

　蒼生はそのとき初めて彼の名前の漢字を目にした。それは、彼の優しい雰囲気にぴったりな字のような気がした。

「名刺はここに入れておきますね。この湿布、よかったら使ってください」

　ようやくフルネームを知ったばかりの相手が、左手に持っていたビニール袋に名刺を入れて蒼生に差し出した。

「あ、ありがとうございます」

「今日は本当に申し訳ありませんでした」

　優貴は深々と頭を下げた。彼が帰ろうとしているのを感じて、蒼生は慌ててクラッチバッグのマグネットボタンを外す。名刺入れを探してクラッチバッグの中をまさぐったが、焦ったせいで手を滑らせてバッグを落としてしまった。弾みで中身が溢れるように廊下に散らばる。キーケース、名刺入れ、ハンディタオル、ポケットティッシュ、リップスティック、生理用ナプキン……。

「あっ」

蒼生が声を上げてしゃがむのと同時に、優貴も拾おうと片膝を突いた。彼の腕に蒼生の肩がぶつかり、反動で蒼生は廊下に尻餅をつく。

「大丈夫ですか?」

蒼生を支えるように背中に優貴の手が回された。力強い大きな手のひらを感じ、すぐ目の前に彼の端正な顔があって、蒼生の鼓動が高くなった。ただでさえアルコールでぼんやりしている頭が、熱に浮かされたようになる。

(どうしよう。こんなに優しくされて、なんだかすごく嬉しい……このドキドキって……もしかして、私……会ったばかりの小野塚さんのことを……?)

蒼生は優貴を見た。彼がどうしたんですか、と言いたげに小首を傾げて蒼生を見つめる。彼との距離はあまりにも近い。

(こんなにすぐに好きになるなんて……彼は私のこと、軽い女だって……男にだらしない女だって……思うかな……?)

蒼生は小さく喉を鳴らして、唇を動かす。

「私のこと……だらしない女だって……思いますか?」

優貴がすっと目を細め、じっと蒼生を見た。まっすぐに見つめられて、蒼生の鼓動が苦しいくらいに速くなる。

「だらしないと思います」

彼にきっぱり言われて、蒼生は頭から冷水を浴びせられたように感じた。酔いさえ醒めた気がする。

（私って最低！　最低のバカ！　会ったばかりなのに部屋に誘おうとするなんて！　節操《せっそう》がないって思われて当たり前じゃないのっ）

蒼生は気まずさのあまり目を伏せた。その間に優貴は散らばっていた小物を集めて差し出した。

「どうぞ」

蒼生は無言でクラッチバッグの口を大きく広げ、そこに入れてもらった。

「送っていただきありがとうございました」

蒼生はすっくと立ち上がり、キーケースを取り出してドアの鍵を開け、そそくさと中に入った。

ドアを閉める直前、彼の「お大事にしてください」という声が聞こえたが、蒼生にはもう返事をする気力もなかった。

彼は責任感から親切にしてくれただけなのに、自分はいったいなにをしようとしていたのだろう。

恥ずかしさと自己嫌悪で、戻れるなら過去に戻って自分を蹴飛ばしてやりたいくらいだ。蒼生は右足の痛みをこらえながら早足で短い廊下を抜け、壁際のベッドに飛び込んだ。そうして眠りの中に逃げ込むべく、枕に顔を埋めた。

第四章　外見は癒やし系でも嫌なやつ

翌朝、蒼生は頭がズキズキと痛んで目を覚ました。

「うーえぇ……二日酔いだぁ……」

胸もムカムカして、これ以上ないくらいひどい気分だ。昨晩、帰宅してそのまま寝てしまったことを思い出して、深いため息をつく。

「あー……もう最悪」

メイクも落とさずシャワーも浴びずに寝るなんて、女子失格だ。といっても、見られて困る相手がいるわけではないが。

自嘲気味に笑って、仰向けになって片腕で目を覆った。浅い呼吸を繰り返して吐き気を抑えようとする。

結局、省吾とのことは過去のことにできたのだろうか。

彼と最後に行ったバーとラブホテルに行ってもなにも感じなければ、もう彼に会っても大丈夫なんだと確認できると思っていた。それが……こんなことになるなんて。

蒼生は右足に視線を移動させた。手当てをしてくれた優貴のことを思い出したが、昨晩のように胸が熱くなることはなかった。

あれはアルコールのせいだったのだ。酔って鼓動が速くなっているのを、恋のドキドキだと勘違いしてしまった。六年も恋愛から遠ざかっていたので、そんな感覚さえ鈍ってしまったのかもしれない。

蒼生はベッドにのっそりと起き上がった。ベッドの下に転がっていたクラッチバッグからスマホを取り出す。時刻はもう午前十一時を過ぎていた。

今日は仕事もないので、ダラダラしててもよかったのだが、とりあえずシャワーくらいは浴びようと思う。

在宅翻訳者として働く蒼生は、仕事を仲介してくれる翻訳会社から依頼を受けて、いわゆる実務翻訳といわれる分野の英日翻訳を専門的に行っている。一昨日納期の仕事を終えてから次の仕事が入っていないので、今日は休日のようなものだ。

蒼生は気合いを入れるべく、両頬を軽く叩いて立ち上がった。右足を引きずりながら廊下を歩き、洗面所に入ろうとしたとき、インターホンが鳴った。蒼生の部屋に訪ねてくるのは、宅配便か新聞の集金などごく限られた人たちだけだ。

インターホンの受話器があるのはベッドの近くだ。そこまで戻るより玄関に直接行く方が移動距離が短くてすむ。

蒼生はぎこちない足取りで廊下を歩き、ドアノブを摑んだ。ガチャッと開けた瞬間、目を見開く。

「あれっ」

目の前に立っていたのは、このエリアを担当する宅配便のお兄さんでもなく、新聞の集金のおじさんでもない。

「小野塚さん」

なにしに来たんだろう、と蒼生が怪訝に思って瞬きすると、彼は硬い表情で口を開いた。

「こんにちは」

「あ……こんにちは」

「改めてお詫びをと思いまして」

優貴が手に持っていた白い大きな紙袋を差し出した。紙袋は赤白青の三色で縁取られていて、有名なラスクの店のロゴがプリントされている。土日は並ばないと買えない店だ。

「それは……わざわざどうも」

蒼生は左手でドアを押さえたまま、差し出された紙袋を右手で受け取った。

「その後、お変わりないですか？」

彼が蒼生の右足に視線を落とし、つられて蒼生も自分の右足を見た。よほど寝相が悪かったのか、サージカルテープが外れて包帯がほどけかけている。とっさに右足を引いてしまい、そんなことをしてしまった言い訳をするように、早口で言う。

「あの、わざわざ来ていただいて恐縮です。せっかくですのでどうぞお上がりください。お茶をお出しします。ここのラスク、ホントにおいしいですよね。大好きです。こんなにたくさんひとりでは食べきれませんから、ご一緒にぜひ」

蒼生が言葉を切ったとき、彼がボソッと言った。

「では、お言葉に甘えて」

「あ、はい」

蒼生は右足を引きずりながら彼を中に案内したが、部屋の様子を見て、彼を誘ったことを後悔した。納期が終わったばかりで、まったく片づけをしていなかったのだ！

ベッドの下にはクラッチバッグが口を開けたまま落ちているし、ソファの上には彼にもらった湿布入りの袋がそのまま置いてあり、雑誌も読みかけのまま広げてある。窓際にあるパソコンデスクには、プリントアウトした原文や訳文、資料として図書館から借りてきた書籍が乱雑に積まれている。フローリングの床には、シュレッダーをかけてから捨てようと思っていた紙が何枚も散らばっているし、読まずに放置したままの新聞や飲みかけのペットボトル、菓子パンやシリアルバーの空袋、赤のボールペンが転がったままだ。

「あははー、すみません、散らかっててぇ」

蒼生はわざとらしく笑いながら、部屋の真ん中のローテーブルに紙袋を置き、床の上の書類を急いで集めてシュレッダーにかけた。ソファの上を片づけ、読みかけの雑誌をパソコンデスクの上に積み、湿布の袋はチェアの上にポンと置く。そのほか床に落ちているものは、あとで分別しようとまとめてデスク下の物入れに突っ込んだ。

「どうぞ」

蒼生がソファの表面を軽く払って勧めると、優貴は唇を引き結んだまま腰を下ろした。

「飲み物はなにがいいですか？　コーヒーと紅茶があります。緑茶は……ティーバッグがどこかにあったような……」

どこに置いたんだろうと首を捻る蒼生に、優貴が無表情で言う。

「お手間のかからないもので」

「じゃあ、コーヒーにしますね。あっ、でも、牛乳が……一週間前に買ったものなので……たぶん賞味期限が切れてますよね。入れるのは砂糖だけでいいですか？」

「ブラックで結構です」

「あ、私もコーヒーはブラック派です」

蒼生は早口で言って優貴に背を向け、あたふたとキッチンに向かった。

(私のこと、男にだらしないなんて言っておきながら、ラスクを持って改めてお詫びに来るなんて……。あの人、謎すぎる)

そんなことを思いながら、コーヒーメーカーにコーヒーの粉と水をセットした。コーヒーが落ちるのを待つ間、キッチンの上の棚からこぎれいなコーヒーカップとソーサーを取り出す。

「いっ」

背伸びをしたときに右足首が痛み、蒼生は顔をしかめた。

すぐにコポコポとコーヒーの落ちる音がして、芳ばしい香りが漂い始めた。蒼生はカップを両手に持って運ぼうとしたが、ほどけかけた包帯が邪魔なことに気づいた。右脚を前後に揺らして包帯がほどけるのに任せていると、「手伝いましょうか」と声がして、優貴がキッチンに顔を覗かせた。だが、決してお行儀がいいとはいえない蒼生の行動を見て、表情が険しくなる。

「あっ、お願いします！」

蒼生はとっさにコーヒーカップを差し出した。弾みで右足を床に着いてしまい、痛みに顔を歪める。優貴は無言でカップを受け取り、蒼生に背を向けた。彼の姿がキッチンから見えなくなり、蒼生はまた右脚をブラブラさせた。包帯がすべてほどけて床に落ちたのをつま先で隅に寄せ、棚から白い皿を取り出す。皿を持ったまま振り返ると、優貴がキッチンに戻ってきた。

「あ、もうお手伝いはいいですよ。これは私が運びますから」

優貴は蒼生の言葉を無視して無言で歩み寄ったかと思うと、腰をかがめて蒼生の背中と膝裏に手を回し、いきなり横抱きに抱え上げた。

「ちょっと、なに⁉」

蒼生は驚いて声を上げた。

「俺、昨日言いましたよね？　捻挫を甘く見てはダメですって」

優貴に厳しい口調で言われて、蒼生は返す言葉がなく唇を引き結んだ。

優貴はキッチンを出て蒼生をソファに運び、そっと座らせた。

「湿布を貼り替えます」

いら立ちを押し殺したような低い声で言って、チェアの上にある袋を取った。彼が湿布の箱を取り出したのを見て、蒼生は急いで口を開く。

「あの、せっかくなんですけど、まだシャワーを浴びてなくて。あとで自分でやります」

「じゃあ、今すぐ浴びてきてください」

「は⁉」

蒼生は驚きのあまり目を剝いた。

「なに言ってるんですかっ。素性も知らない男性が部屋にいるのに、そんなことできるわけないでしょ！」

大声で言ってから、ふと昨晩彼に言われた言葉を思い出した。

「あ、そうか、私のこと、男にだらしない女だと思ってるから、そんないやらしいことを！　ハラグチさんは私のこと、飢えて焦ってる女みたいに言ってたけど、ぜんぜんそんなことないですからねっ！　それに、彼女は私と同い年だって思い込みたがっていましたけど、私、まだ二十九歳だしっ。どう見ても三十代前半で、あなたの気を惹きたくて、むやみやたらにフェロモンを出そうとしてるハラグチさんと一緒にしないでくださいっ！」

蒼生はソファの上で身構え、優貴を睨《にら》んだ。彼は呆気にとられたように小さく口を開けたが、次の瞬間、顔をそむけて肩を小刻みに震わせ始めた。なにをしているんだろうと蒼生が下から顔を覗き込むと、彼は目を細め、口を閉じて声を出さずに笑っている。

「え……？」

今度は蒼生の方がぽかんと口を開けた。優貴はすでに涙目になっている。

「なによ」

蒼生の不満そうな声を聞いて、優貴は小さく咳払いをし、真顔を作って蒼生を見た。

「あんた、俺と同い年か」

優貴の口調ががらりと変わって、蒼生は驚いた。

「あなたも二十九歳なの？」

「そう。今年三十歳になる」

「え、同い年に見えない。年下かと思ってた」

優貴がムッとして言う。

「あんたが老けてるんだ」

「失礼ね！　大人っぽいって言ってよ」

「大人っぽいって言われて喜ぶのは、二十代前半くらいまでだろ？　あんたの年で大人っぽいって、いったいいくつに見られたいんだよ？」

「うるさいなー」

蒼生は文句を言ったが、美容院に行ったのは半年前だ。何度かカラーリングを勧められたものの、いまだに髪は真っ黒のまま。担当の美容師に『色を明るくしたらもっと若く見えますよ』と冗談っぽく言われたが、あれはやはり実年齢より上に見える、という意味だ。

切れ長の二重とぽってりした唇のおかげで、学生のときは〝学生に見えない〟とか〝大人っぽい〟とか言われて嬉しかったのだが……。

優貴が蒼生の顔の前に人差し指を突きつけた。

「俺が昨日〝だらしない〟って言ったのは、バッグの中身のことだよ。あんなにぎゅうぎゅうに詰め込んだら、必要なものを出そうとしたときにああいう事態になるのは、考えなくてもわかるだろ。それに、バッグの中身を見たら、この部屋だって納得だ」

優貴が右手を上げて散らかったパソコンデスクを示した。蒼生は恥ずかしくて頬が熱くなる。

「や、違う！　昨日あのバッグだったのは、このワンピースに合わせただけよ！」

生理用ナプキンを入れたらパンパンになっちゃったんだもん、という言葉は呑み込んで、言い訳を続ける。

「それに部屋だって、今日ちゃんと片づけようと思ってたし！」

優貴は冷ややかな目で蒼生を見た。

「俺に言い訳したってしょうがないだろ。このまま湿布を貼られるのが嫌なら、今すぐシャワーを浴びてこい」

「なんでっ」

「早く治さないと通勤に差し障るだろ。それくらい自分で気づけよ」

「通勤って……私、今、会社に行ってないし仕事もないし」

　蒼生の言葉を聞いて、優貴が眉間にしわを刻む。

「仕事がない？」

「あ、今はってことだよ。ほら、短期の仕事が続いてて、今は仕事と仕事の合間っていうか。ホントはもっと長期の仕事もしたいんだけど、経歴がね……」

「なるほど」

　優貴はそう言いつつあまり納得していない表情で続ける。

「今は通勤してないから足を捻挫したままでも問題ない、というあんたの考えはわかった。でも、捻挫っていうのは靭帯《じんたい》が損傷してるってことなんだぞ。甘く見ていると再発したり、膝や股関節に痛みが出たりすることもある。それは困るだろ？」

「まあ……そうだけど」

　蒼生は小声で返事をした。

「それに、怪我をさせた側の人間として、あとから高額な治療費を請求されるようなことになっても面倒だからな」

「え」

「あんたがちゃんと治療をして、どうしても高額な治療費が必要になったって言うんなら、こっちだってもちろん応じるよ。でも、今のあんたはそうじゃない。自分をぜんぜん労っていないし、治す気などなさそうだ」

「私がわざと症状を悪化させて、高い治療費をふんだくろうとしてるって思ってるの⁉」

蒼生が憤慨して言うと、優貴は首を横に振った。

「いや。あんたのずぼらさを見たら、そんな計画的なことを考えているとは思えない」

「ずぼら⁉」

いちいち癪《しゃく》に障る男だ。蒼生はムカムカしてきた。優貴も怒りの混じった口調で言う。

「あんたはさっき、ひとり暮らしだってのに、相手を確かめずにドアを開けたよな？」

「だってそれは宅配業者か新聞の集金人と思ったからで」

「女性のひとり暮らしなのに無防備だな」

優貴に責めるように言われて、蒼生は反論する。

「だからこそ表札には〝山本《やまもと》〟って名字しか書いてないのっ」

「だからって相手を確かめずにドアを開けるな、アホ」

「アホってなによ、生意気！」

「あんたが頼りなさすぎるから、老婆心で言ってんだよ、ろ・う・ば・し・ん！」

そんなところを強調しないでよ、と蒼生は心の中で文句を言ったが、言葉にはしなかった。優貴が話を続ける。

「だいたい警戒心がなさ過ぎなんだよ。宅配便の業者や集金人を装う犯罪者だっているんだぞ」

蒼生は彼の言葉を聞いて、『宅配便です』と言われてドアを開けて犯罪に巻き込まれた女性のニュースを思い出した。

「それはそうだけど」

　蒼生は小さな声で答えた。

「それにその格好。昨日と同じだ」

「あー……はい」

「捻挫をした当日に入浴を避けたって意味では評価してやってもいい。でも、服を着替えずに寝たってことだよな」

「その通り……です」

　蒼生は先生に叱られた生徒のようにしゅんとなった。悔しいけれどどれも的を射ていた。ずぼらと言われても仕方がない。

「あんたは俺に下心があるんじゃないかって警戒してるようだけど、残念ながら、あんたを見ててもムラムラじゃなくてイライラしか感じない」

　きっぱり言われて、蒼生は自分の自意識過剰ぶりが恥ずかしくなった。そもそも女性として意識されていなかったのだ。反論する気も起きず、素直に彼の言うことに従おうと思った。

「わかりました。シャワーを浴びてきます……」

　蒼生が立ち上がると、なぜか優貴も立ち上がった。

「あんたが落ち着いてシャワーを浴びられるよう、外に出てるよ」

「あ……お気遣いどうも」

さんざん蒼生をこき下ろしておきながらも、彼は蒼生を気遣って、外に出てくれると言う。

（いい人なのかヤなやつなのか、よくわかんないな。今のところ〝老けてる〟って言葉のせいで、ヤなやつ成分の方がいい人成分を上回ってる。小野塚くんの七十パーセントはヤなやつ成分で、三十パーセントはいい人成分でできています、なんて。それは少なすぎかなー）

蒼生がそんなくだらないことを考えているとは知らない優貴は、さっさと部屋の外に出ていった。蒼生はドアに鍵をかけ、念のためチェーンまでして洗面所に向かった。着ていたものを脱いでバスルームに入り、バスチェアに座って髪と体を洗う。

体がさっぱりすると、気持ちもさっぱりした。もし彼が来なかったら、きっと一日中、昨日の服のままダラダラしていただろう。いい人成分の割合を五十パーセントまで引き上げてあげてもいいかもしれない。

バスルームから出ると、白いカットソーにジャージ素材のライトグレーのロングスカートを着た。濡れた髪をタオルドライしてからまとめ上げ、クリップで留める。簡単にメイクをしてから玄関ドアをそっと開けると、優貴が腕を組んで壁にもたれていた。

「お待たせしました～」

蒼生は小さな声で言った。優貴は右手に持っていたビニール袋を掲げてみせる。

「大丈夫。近くのコンビニまで買い物に行ってたから」

優貴は中に入り、キッチンの前で足を止めて、ビニール袋から五百ミリリットルパック入りの牛乳を取り出した。

「賞味期限が切れてるって言ってただろ」

「お気遣い、ホントにどうも……」

「冷蔵庫に入れておくぞ」

彼が言って、牛乳パックを冷蔵庫に入れ、ビニール袋はキレイに畳んでシンクの上に置いた。

同い年なのに気の利くきちんとした彼に、蒼生はもう恐縮するしかない。

「じゃ、座って」

優貴がソファを示し、蒼生は大人しく指示に従った。

「足、触るけど、昨日みたいに変な声を出すなよ」

「へ、変な声って！」

いちいち人がカチンと来るようなことを言うやつだ。蒼生の中で優貴のヤなやつ成分が増量される。

「俺が痴漢してるみたいだろ」

「昨日は急に触るからでしょ」

「だから今日は予告した」

優貴が言って片膝を突き、両手を伸ばして蒼生の両の足首に触れた。二度目とはいえ、やっぱり少し緊張してしまう。

彼の手が、シャワーを浴びてしっとりした肌を滑り降り、足の裏へと移動した。昨日と同じように、両手のひらに蒼生の足をのせる。

「あのぅ……小野塚くんは整形外科医かなにかなの？」

蒼生の問いかけに、優貴がチラッと視線を上げ、すぐに蒼生の足に戻した。

「普通の会社員だ」

「あ」

蒼生は小さく声を漏らした。名刺をもらっていたのに、ちゃんと見ていないことがバレバレだ。蒼生は口を開けば開くだけボロが出そうで、黙っていることにした。

「小学校から高校までサッカーをしてたんだよ。捻挫したとき、試合に出たいから我慢して無理したことがあって、そのとき近所の整形外科の先生にこっぴどく叱られた」

だから私にも厳しいことを言ったんだ、と蒼生は納得した。彼が右足に湿布を貼って包帯を巻くのをじっと見る。黙っていれば本当に癒やし系のイケメンなのに、同い年だとわかってからはぞんざいな口を利く。

優貴がサージカルテープを貼り終えて顔を上げた。

「これは応急処置だから、明日になったらきちんと病院で受診するんだぞ。わかったな？」

「はーい」

「〝はい〟は短く！」

「年下のくせに生意気ぃ。あ、同い年だったっけー」

蒼生の軽口に優貴は即座に返す。

「年上のくせに頼りなーい。あ、老け顔なだけだっけー」

「うるさい！」

「あんたが自分で墓穴掘ったんだよ」

優貴は言って立ち上がり、ローテーブルを回って蒼生と向かい合って座った。

「買い物はどうしてるんだ？　その足じゃ不便だろうし、必要なものを教えてくれれば、買いに行くぞ」

さっきの憎まれ口はどこへやら、今度は親切な申し出をしてくる。蒼生が怪我をしたことに責任を感じていることだけは確からしい。

「買い物なら大丈夫。ネットスーパーでなんでも買えるから」

「なんでも？」

「うん。重いペットボトルやお米から冷凍食品、それにその日食べる総菜や果物まで配達してくれるの。家から一歩も出なくても必要なものが揃うなんて、便利だよね」

蒼生の言葉を聞いて、優貴が一度瞬きをした。

「じゃあ……あんたはもしかして、普段、家から一歩も出ないとか？」

「それは大げさだよ。ちゃんとゴミ捨てには出るもん」

蒼生の言葉を聞いて、彼は考え込むように視線を落とした。

「あ、じゃ、コーヒーサーバーを取ってくるね」

蒼生が立とうとすると、優貴がサッと立ち上がった。

「俺が行くよ」

彼はすぐにキッチンからコーヒーサーバーを持って戻ってきた。優貴がコーヒーをカップに注いでいる間、蒼生はラスクを箱から出して皿にのせ、彼の前に置いた。

「ここのラスク、ホントにおいしいよね。ありがたくいただきます」

蒼生は嬉々としてラスクの小袋を破った。一口かじるとサクッと軽やかな音がした。久しぶりに食べたラスクは、記憶にあるのと同じ、ほんのり甘くて歯触りも軽い。

「いつ食べてもおいしいなぁ」

蒼生はうっとりとした表情でつぶやいた。

「好きなものでよかったよ。こういうものは買いに外に出るんだな」

優貴に言われて、蒼生は即座に否定する。

「まさか。ネットでお取り寄せしたの。送料と日数はかかるけど、並ばなくてもいいから、たまに買うんだ。小野塚くんはわざわざ並んでくれたんだよね？」

「ああ。女性ばっかりの列に並ぶのは少し恥ずかしかった」

「そうだよね、ありがとう。食べるのは三ヵ月ぶりくらいだから嬉しい」

蒼生の言葉を聞いて、優貴の表情が緩み、部屋の空気も心なしか和やかになった。

こうやって誰かをこの部屋に入れたのは、親友の大槻陽菜子《おおつきひなこ》以外では初めてのことだ。

陽菜子は高校時代からの友人で、今も変わらず蒼生と仲良くしてくれている。その彼女も彼氏と結婚する話が出ていた。

　親友が愛する人と結婚するのはとても嬉しいことだが、今までのように簡単に電話したり会ったりできなくなる。同い年で気を遣わずに話せる彼と友達になれないだろうか、と思いながら蒼生が優貴を見ると、彼はコーヒーを飲み終えて蒼生を見た。

「ごちそうさま。俺にできることはほかになさそうだし、そろそろ帰るよ」

「あ、うん」

　優貴が席を立ち、蒼生も続いて立ち上がった。彼は廊下を抜けて靴を履いたが、ふと振り返って蒼生に問う。

「ひとりでいるのが好きなの？」

「え？　そういうわけじゃないけど……」

　省吾と別れてからいろいろあって会社を辞めたあと、人目を避けるようにしてきた。そのせいで外に出るのが億劫《おっくう》になっているのは確かだ。

「なら、もう少し外に出てみてもいいんじゃないかな」

「外に……？」

　蒼生はスカートの生地を両手でキュッと握った。

　コンビニやスーパーで買い物はするし、陽菜子と食事に行ったりもする。昨日なんか、はるばる大阪駅まで出てブルームーンへ行っている。

ほかになにが足りないというのだろうか。

蒼生が考え込んでいると、優貴はドアを開けて外に出た。蒼生はサンダルを踏みながらドアを押さえた。来てくれた礼を言おうと口を開きかけたが、それより早く優貴が言う。

「こうやって家にいるのは楽だと思うよ。短期の仕事を繰り返すのも、若いうちならできるだろう。でも、いつまでも今のままではいられないんじゃないかな」

「短期の仕事を繰り返すのが悪いって言うの⁉」

蒼生はキッと優貴を見た。今の蒼生が依頼される仕事は、企業の契約書などのビジネス文書や、大学教授の論文などが多く、納期も数日からせいぜい一ヵ月だ。納期も長く分量も多い書籍翻訳の仕事は、今までに一度依頼されたのみ。もっと実績を積んで、書籍翻訳の仕事にたくさん関わりたいと努力しているところだ。

「悪い、というより、長く働ける仕事を見つけろって意味だよ。俺で力になれることがあれば協力するからさ」

彼の言いたいことはわかったが、納得はできなかった。今の自分の生き方や努力を否定されたようで、蒼生は腹立ちを覚えた。

「お見舞いに来てくれてありがとう。でも、あなたの協力なんか必要ないから」

きっぱりと言ってドアを閉めた。彼と友達になりたいという気持ちはもう失せていた。

第五章　やってやろうじゃない

月曜日になり、蒼生は夕方、近所の整形外科へ行った。レントゲンを撮られたあと、診察をした四十代半ばくらいの男性医師に、「骨に異常はないので湿布を出しておきますね。日常生活は普段通りで構いませんが、完全に治るまでは無理をしないように。一週間後、また来てください」と言われて診察は終わった。

股関節や膝がどうのと優貴に脅されていただけに心配していたが、問題なさそうなことに蒼生はホッとした。

帰宅し、礼儀として診察結果を優貴に伝えようと、ソファに座ってスマホを取り出した。だが、陽菜子からメッセージが届いているのに気づき、彼へのメールは後回しにする。

陽菜子は中規模の私立病院で看護師をしている。彼女の恋人の西山聡司《にしやまさとし》は、同じ病院に勤務する二歳年下のレントゲン技師だ。

『元気？　今日は日勤だったんだ～。久しぶりに飲みに行かない？』

蒼生は座ったまま右足を眺めた。痛みはほとんど感じないが、無理はしないようにと言われている。

『実は捻挫しちゃって。よかったらうちに来ない？　ネットスーパーのだけど、お総菜もいくつかあるし、缶カクテルもたくさん買ったよ～』

蒼生のメッセージに対し、すぐに返信がある。

『捻挫⁉　それは大変だね。デパ地下に寄って、つまめるものをゲットして行くね～。それじゃ、一時間後に！』

蒼生はクマが〝ラジャ！〟と敬礼しているスタンプを送信した。そうしてスマホをソファの上にポンと置く。

陽菜子と会うのは三ヵ月ぶりくらいだ。蒼生の仕事が立て込んでいたり、陽菜子の休日と合わなかったりして、なかなか会う時間が作れなかったのだ。

蒼生はワクワクして部屋の中をおおまかに片づけた。陽菜子が来るまでの時間をつぶそうと、テレビをつける。七時のニュースでは、夜、マンションの上層階で窓を開けて寝ていた女性の部屋に、男が雨どいを伝って侵入した、という事件が取り上げられていた。

部屋の中にいれば安全だと思い込んでいたが、そうでもないらしい。気をつけなくちゃいけないな、と思いながらチャンネルを変えていると、部屋のインターホンが鳴った。

「はーい」

ドアに向かってゆっくり歩き、ドアノブに手をかけたが、優貴に言われたことを思い出した。ドアスコープから外を覗くと、陽菜子が魚眼レンズ特有の歪んだ姿で映っている。

「お疲れ様～」

蒼生がドアを開け、陽菜子が両手に提げたデパートの紙袋を持ち上げてみせた。

「買い物行けないかと思って、食料たくさん買ってきたよ～」

「わー、ありがとう！」

持つべきものはやっぱり親友だと思いながら、蒼生は陽菜子を中に通した。冷蔵庫を経由して、総菜と缶カクテルを取り出し、ローテーブルに向かう。陽菜子は勝手知ったる他人の家とばかりに、戸棚から食器と箸を出して運んでくれた。

「蒼生はソファに座って」

陽菜子はソファの上のクッションを取って、蒼生と向かい合う場所に置き、脚を崩して座った。

「ありがとう」

蒼生はソファに座り、ローテーブルにカクテルを並べる。

「陽菜子はどれがいい？」

「今はすっきりしたいから、ソルティドッグかな」

「じゃ、私は……」

蒼生は少し考えて、一番近くにある缶を手に取った。

「カンパリオレンジにしようっと」

陽菜子はテキパキと総菜を盛りつけ始めた。おかげであとは食べるだけだ。

蒼生と陽菜子はそれぞれアルコールの缶を開けた。

「陽菜子、お仕事お疲れ様！」

「ありがとう。蒼生もお疲れー！」

缶を合わせて乾杯をした。一口飲んで、蒼生は陽菜子に話題を振る。

「結婚式の日取りとか式場は決まったの？」

「だいたいの日にちは決めたけど、式場はまだ」

「いつぐらいに式を挙げるの？」

「来年の三月ぐらいがいいかなぁって」

陽菜子は答えながら〝サーモンのハーブソテー〟を皿に取った。蒼生は〝十種の野菜のサラダ〟を小皿に取り分ける。

「そっかぁ。いよいよ本格的に準備が始まるんだね」

蒼生はしみじみと言った。親友が結婚するのはもちろんおめでたいことだが、ほんの少し寂しさも覚える。

「まあ、付き合って七年になるし、今さらって気もするんだけど、親戚付き合いとかもあるし、一応ね」

陽菜子が照れ笑いを浮かべた。

「そう言いつつも嬉しそうだよ～。やっぱり結婚式は特別でしょ？　一生に一度のことだもんね」

「まあねー」

陽菜子はしばらくサーモンのソテーを食べていたが、やがておもむろに蒼生を見た。

「蒼生は……？　昨日、岡崎くんとの思い出の場所をたどったんだよね……？　気持ちの整理はついた？」

蒼生はカンパリオレンジを少し飲んで答える。

「全部は……たどれなかった」

「そうなの？　やっぱり無理だった？」

陽菜子が心配そうな表情になったので、蒼生は慌てて笑顔を作った。

「そうじゃないよ。省吾のことはとっくに吹っ切れてる。ただ、ハプニングがあってラブホには行けなかったの」

蒼生はブルームーンでの出来事からかいつまんで説明を始めた。ラブホが満室で入るのをやめたところで、陽菜子に遮られる。

「ちょっと待って。ラブホの入り口じゃなくて、彼と過ごした部屋にまで入りたかったの？」

「うん」

「蒼生、ちょっと警戒心なさすぎだよ！　知らない人にラブホまで送ってもらうなんて……満室だったからよかったものの、もし一緒に部屋に入ったりしたら危ないところだったんじゃない？」

「え、そんなことないよ！　実はすごく失礼な男性だったんだから！」

蒼生はその翌日に彼が来てくれたときのこと、『あんたを見ててもムラムラじゃなくてイライラしか感じない』と言われたことを説明した。

陽菜子は苦笑いを浮かべる。

「なんか……不思議な人だね。優しいのかと思えば、言いたいことをズバズバ言うし。でも、嘘をつかないって意味では誠実なのかも」

「確かにそうかもしれないけど、バッグの中がぐちゃぐちゃだとか部屋が散らかってるとか指摘して、私のことを〝だらしない〟とか〝ずぼら〟なんて言うし、正直すぎるのもどうかと思うけど」

「自分でだらしないってことは自覚してるんだ」

陽菜子にからかうように言われて、蒼生は頰を膨らませて缶に口をつけた。

「でも、言い方ってものがあるでしょ」

陽菜子はクスクス笑って言う。

「蒼生の説明を聞く限り、蒼生も言いたい放題だったみたいだし、ある意味、いいコンビじゃない」

「ぜんぜんよくないよっ。ほかにも、うちにこもってたらダメみたいなことも言われたし」

蒼生は抗議の声を上げた。

「うちにこもってたら、か」

友人の表情が曇ったのを見て、蒼生は不満そうに言う。

「私、ちゃんと働いて食べていけてるよ」

「そうだけど、出会いがないでしょ」

「陽菜子まで、私に外で働けって言うの？」

蒼生は唇を尖らせながら〝イカとキュウリのマリネ〟を皿に取った。

「そういう意味じゃないよ。スポーツジムに行くとかなにか習いごとをするとか。そこまでしなくても散歩に行くとか。もう少し日の当たる生活をしてもいいんじゃないかなって」

「そう？」

「うん。ここは前の会社からも実家からも離れてるでしょ。誰にも会ったりしないよ」

「そうかもしれないけど……。でも、今の生活はすごく心地いいんだもん」

蒼生はマリネを口に入れた。イカのぷりぷり感を味わう間もなく、陽菜子に問いかけられる。

「それで幸せ？　満たされてる？」

それは答えるのが難しい質問だった。好きな仕事でお金をもらっている。駆け出しだった頃よりも仕事量はずっと増えて安定している。好きなときに寝て起きて、ゴロゴロしながら好きなテレビ番組を見ても、誰にもなにも言われない。こうしてときどき陽菜子と会っておしゃべりするのも楽しい。

でも、一日中誰ともしゃべらずに過ごすことも多い。ふと気づいたとき、当たり前だけど静かな部屋には蒼生しかいなくて、それを物足りなく感じることもないとはいえない。

蒼生が黙り込んだのを見て、陽菜子が諭《さと》すように言う。

「岡崎くんが蒼生に仲直りしたいって何度もメールを送ってきたのだって、彼がこっちに転勤になって、妊娠中の奥さんと一緒に実家の近くに住むことにしたからなんでしょ？」

「うん」

「近所の冷たい目が少しでも温かくなるように、蒼生と和解して元の幼馴染みに戻ったことにしたいんだって魂胆が見え見え。そんなすごく身勝手な人たちのために、蒼生は過去を乗り越えようと努力してる。蒼生だって今よりもっと幸せになっていいはずだよ」

「でも、これ以上の贅沢を望んじゃいけない気がする」

省吾と別れてから荒れていた自分の所業を思い、蒼生は淡く微笑んだ。

「蒼生」

陽菜子が立ち上がって蒼生の隣に座り、蒼生をギュッと抱きしめた。

「私ね、ときどき思うんだ。このままの蒼生を残して……私だけ幸せになっていいのかなって」

陽菜子が低い声で言った。蒼生は親友の背中に手を回す。

「省吾に振られたときも仕事を辞めたときも、陽菜子が支えてくれたから、私、再出発できたんだよ。陽菜子にはホントに感謝してる。私は大丈夫だから、そんなふうに思わないで幸せになって」

「蒼生……」

陽菜子が湿っぽい声を出すので、蒼生はわざと明るく言う。

「もう、陽菜子ってばぁ！　私を親友の幸せを喜べないようないじけた女だと思ってるわけ⁉」

「そんなわけないよ。蒼生は聡司くんと同じくらい私にとって大切な存在なんだから」

蒼生は親友の背中をぎゅうっと抱いた。

蒼生は、陽菜子が実は彼より自分を優先してくれていたことがあったのを知っている。省吾に振られたあと、荒れていた蒼生を見捨てなかったのは、陽菜子ただひとりだった。

蒼生は目頭が熱くなり、すん、と鼻を鳴らした。泣きそうになるのをごまかすように、いたずらっぽく言う。

「陽菜子とイチャイチャしてたら、聡司くんにヤキモチ焼かれちゃうね」

陽菜子が体を起こして目元を拭った。彼女の目も少し潤んでいる。

「相手が蒼生なら気にしないって」

「そんな物わかりのいい彼氏、ほかに知らない」

「物わかりがいいっていうか……。もう倦怠期の夫婦みたいで、お互いのことにあんまり干渉しないだけよ」

そう言いながらも穏やかに微笑む陽菜子を見ていると、陽菜子はステキな恋をしているんだな、と蒼生はつくづく思った。

「私も次は……陽菜子みたいな恋をしたい」

「蒼生なら大丈夫。がんばってる女子を幸せにしてくれない恋の神様なんて、神様じゃない！」

陽菜子の言葉に蒼生は笑みを誘われた。気持ちを切り替えるように新しいカクテルの缶に手を伸ばす。

「なんだか湿っぽくなっちゃったね～。せっかく陽菜子がおいしいデパ地下お総菜を買ってきてくれたんだし、楽しく食べよ～っ！」

「おーっ！」

そうしてふたりでもう一度乾杯をして、うち飲みを楽しんだのだった。

それから一週間後。整形外科に行った蒼生は、医師に「もう大丈夫ですよ」と太鼓判を押されて拍子抜けしてしまった。

「え、もう治ったんですか？」

「はい。応急処置がよかったんでしょうね」

医師の言葉を聞いて、蒼生は考え込んだ。つまりは優貴の処置がよかったということだ。それについては感謝しなければいけないだろう。さんざんな言われ方をしたので、悔しい気もするが。

とはいえ、自由に歩けることになり、ホッとして帰宅した。そうして、それまでサボっていた片づけに取りかかる。

ひとり暮らしで物も少ないため、散らかっていた資料や新聞を片づけ、仕事関係の書類をシュレッダーして掃除機をかければ、たいしてやることはない。

「はぁ、すっきり」

機嫌よくソファに横になって、録り溜めていた海外ドラマの続きを見始めた。弁護士事務所が舞台のドラマで、事件も恋愛も目まぐるしく展開する。

ワクワクしながら見ていたら、スマホが鳴り出した。画面を見ると、メインで仕事をもらっている翻訳会社からだ。リモコンでドラマを一時停止にして、パソコンデスクの上の卓上カレンダーを手に取った。ソファにきちんと座って通話ボタンをタップする。

「山本です」

『お世話になっております。翻訳会社クオリティ・トランスの坂口《さかぐち》です』

人当たりのよさそうな女性の声が聞こえてきた。

「お世話になっております」

蒼生は膝に卓上カレンダーを置き、ローテーブルの上のボールペンを取った。

『実はですね、今日は山本様にお願いがありまして』

いつになく困った様子の坂口の声を聞いて、蒼生は小さく首を傾げながら続きを待った。

『来週の水曜日から一ヵ月間、社内翻訳者として勤務していただける方を探しているんですが……』

「社内翻訳者……ですか」

坂口には以前、社内翻訳者としてある会社に三ヵ月勤務してくれないか、と打診されたことがあったが、そんなに長期、会社勤めをする自信がなくて断った。それを坂口も覚えているからか、間を置かずに続ける。

『以前、三ヵ月のお仕事は受けられないとおっしゃっていましたが、今回は一ヵ月なんです。北浜にある国際会議の企画運営会社の調査管理部で、海外プロジェクトの報告書やシンポジウムの資料の英日翻訳を担当していただきます。現在わかっているのは、南アフリカでの農業推進事業とベトナムでの農業開発事業のものです』

農業開発に関連した分野はこれまでに何度も翻訳した経験がある。分野に関しては不安はない。けれど、一ヵ月間も自分の姿が人の目にさらされるのだ……と思うと、胃の辺りが痛くなってきた。

蒼生がなにも言わないので、坂口が話を続ける。

『実は当社からご紹介して正社員として勤務している社内翻訳者さんがいるんですが、病気で入院されることになって、その間一ヵ月、代わりに業務をこなしてくれる人材が必要になったんです。急なことでなかなか適当な方が見つからなくて……。無理を承知で、山本様に声をかけさせていただきました』

坂口の言葉を聞いて、蒼生の心が揺れ始めた。人手が足りないからだとはわかっていても、自分が必要とされているんだと思うと、その期待に応えたい、という気持ちになってくる。

（一ヵ月って……長いのかな、短いのかな）

そう思ったとき、優貴に言われた言葉が脳裏をよぎった。

『もう少し外に出てみてもいいんじゃないかな？』

蒼生はこれまで、このままずっと在宅翻訳者として生活するのでいいと思っていた。けれど、優貴にあんなことを言われて、闘争心のようなものが湧き上がってきた。

蒼生の背中を陽菜子の声が押す。

『もう少し日の当たる生活をしてもいいんじゃないかなって』

（よーし、やってやろうじゃない！）

蒼生は背筋を伸ばして息を吸い込んだ。

「わかりました、お受けいたします」

通話口から坂口の明るい声が返ってくる。

『ホントですか！　ありがとうございます。助かります！　詳細はメールでお送りしますね！』

「よろしくお願いします」

坂口に感謝されながら通話を終えた蒼生だったが、久しぶりに外で働くことを思って、不安と緊張で胸がドキドキするのを止められなかった。

第六章　二度あることは三度ある

そうしてやってきた七月最初の水曜日。蒼生はクローゼットを開けて、ワードローブを見ながら大きなあくびをした。久しぶりに会社勤めをすることになって緊張して眠れなかった……のではない。別の会社から依頼を受けていた正午納期の仕事を納品するために、午前三時まで仕事をしていたからだ。

「あー……眠い……」

もう一度あくびをしてから、オフベージュの七分袖テーラードジャケットと黒のプリーツスカートを選び出した。白いブラウスとともにそれらを身につける。

これならオフィス勤めもオッケーだろう。

鏡を見て納得し、小ぶりのハンドバッグを持って家を出た。蒼生が向かうのは、株式会社ジャパン・コンベンション・プランニングという中堅企業だ。そのオフィスへは、近鉄《きんてつ》南大阪線《みなみおおさか》で大阪阿部野橋《おおさかあべの》に出て、大阪メトロ谷町《たにまち》線に、続いて堺筋《さかいすじ》線に乗り換えなければならない。さすがに通勤時間帯だけあって、どの電車もまさにすし詰め状態だ。

（ああ、前はこんなふうにして通勤してたよね……）

大学を卒業した七年前、外資系ソフトウェアメーカーに就職したときのことを、ほろ苦い気持ちで思い出した。

入社直後の三日間は、東京本社で研修を受けた。そのときに、蒼生と省吾のことは同期の誰もが知るところとなった。そこからそれぞれが働く部署の上司などにも知られ……残念な破局を迎えたことも、同じように知られてしまった。

省吾と別れた直後は、余計なことを考えずにすむよう仕事に打ち込んだ。けれど、仕事中は保てた精神力も、勤務が終われば尽きてしまう。家に帰れば近所の人たちから哀れみの目で見られ、母からは省吾への文句を聞かされる。それも嫌で、毎日のように誰かを誘って飲みに行っていたが、そのうち人を誘うのすら億劫になり、ひとりで飲みに行くようになった。

あるとき、居酒屋のカウンター席でひとりで飲んでいた蒼生に、『もしかして山本さん？』と話しかけてきた先輩社員がいた。七歳年上の永宮秀次《ながみやしゅうじ》だった。システム開発課に勤務する彼のことは、顔と名前を知っている程度だった。その彼と一緒に飲んで、優しい言葉にほだされ、酔った勢いで一夜をともにしてしまった。

（ホント、私ってバカ……）

当時の自分の行動を思い出して、蒼生は顔をしかめた。

その後、何度か秀次と体を重ね、彼の優しさに救いを感じ始めた蒼生だったが、彼にとって蒼生は戦利品の一つのようなものだった。秀次は誠実そうな外見をしていながら、女性に手が早いことは彼の同期の間では有名だった。蒼生が秀次の存在を特別に思うようになった頃、秀次が彼の同期の勝浦亭《かつうらとおる》と自動販売機コーナーで話しているのを偶然聞いてしまったのだ。その日は七月の給料日で、今度は自分の方から秀次を食事に誘ってみようと思っていたときだったから、今でもよく覚えている。

『彼氏に裏切られてる女なら、優しい言葉をかければ簡単に落とせるって。亭も声をかけてみろよ。蒼生って股開くの早いから』

自分が彼にそんなふうに思われていたなんて。それを知ったショックから、蒼生は秀次の同期から向けられる視線が怖くなった。

（あの人も私のことを軽い女だって思ってる……？）

その不安はどんどん大きくなり、自分の同期の目も怖くなった。みんな私のことをバカな女だって蔑《さげす》んでいるのではないか。哀れな女だって思っているのではないか……。そんな疑念にがんじがらめになった。

秀次にとっては軽い気持ちだったのかもしれない。だが、秀次が亭に言った言葉は、省吾と別れて精神的に不安定だった蒼生に、さらなる追い打ちをかけた。

陽菜子は『そんなことない』と強く言ってくれたが、蒼生はとうとう会社に行くのが怖くなり、ついには辞表を出した。

蒼生は目をギュッとつぶってから、顔を上げて地下鉄の窓ガラスを見た。そこには、サラリーマンと学生に挟まれて、不安そうな表情をした自分が映っている。でも、それは六年前の蒼生ではない。二十九歳の今の蒼生だ。省吾と秀次には裏切られたが、翻訳者として積み重ねてきた実績がある。そしてそれは決して蒼生を裏切ることはない。

それに、退職前に実家のある大阪府北部の高槻市から、遠く離れた大阪府南部の松原市に引っ越したのだ。

（だから、私のことを知っている近所の人はこの電車に乗っているはずがない。この近くにはソフトウェアメーカーの支社もない。これから向かう会社に私を知っている人はいない）

呪文のように何度も繰り返し、気持ちを落ち着かせて背筋を伸ばした。

急ぎ足で歩く通勤客とともに改札を出て、地図アプリを見ながら高層ビルが林立するオフィス街を歩いた。やがて目当てのガラス張りのオフィスビルが見えてくる。

一生懸命見上げてもてっぺんが見えないほどの高層ビルだったので、緊張して鼓動が速くなった。ビルに入る人波に乗って、入り口の自動ドアから中に入る。エントランスは白い壁がまぶしいほど清潔そうだ。奥の壁のくぼみには大きな花瓶に花が生けられていて、その横にエレベーターが二基あった。

蒼生は気持ちを落ち着かせようと大きく息を吐き、エレベーターを待つ人の最後尾についた。直後、背後から声をかけられる。

「もしかして山本さん？」

少し甘さを感じさせる低い声に、ドクンと心臓が不規則に打った。

（……どうして永宮さんが……）

目眩がして視界が揺らぎ、ふらり、と倒れそうになる。

「危ないっ」

声がしたかと思うと腰に手が回されて引き寄せられ、蒼生はとっさに声を上げる。

「離してくださいっ」

蒼生のただならぬ叫び声に、周囲がざわめいた。

「お望みなら離してもいいが、もし俺が手を離したら、あんたは無様に尻餅をつくことになる。それでもいいなら言う通りにするけど」

呆れの混じった冷静な声が降ってきて、蒼生は違和感を覚えた。瞬きを繰り返すうちにチカチカしていた視界が落ち着き、蒼生の目に見覚えのある男性の顔が映る。

「あぁぁっ！」

蒼生は信じられない思いで目を見開いた。彼女の腰を力強く支えていたのは、外見だけ癒やし系の辛口男、優貴だった。

「小野塚くん⁉」

「そうだよ。それより大丈夫？　貧血か？」

「あ……ううん、そういうわけじゃなくて……」

「久々に外に出たから人の多さに面食らったとか？」

「それもないですっ」

蒼生は左手を伸ばして壁につき、体を支えた。優貴が気遣うように、ゆっくりと手を離す。

「あ……ありがとう」

蒼生がひとりでまっすぐ立ったのを見て、彼は腰に両手を当てた。今日の彼はダークネイビーのスーツにブルー系のチェックのネクタイを合わせていて、その甘い顔立ちを爽やかに引き立てていた。それなのにこの男性は、外見からは想像もできない毒を吐く。

「三度目の再会なのに、周囲の人の誤解を招くような声を上げるなんて、あんた、とんでもない女だな。実は俺のことが嫌いなんだろ?」

優貴が言ってニヤッと笑った。せっかくの癒やし系の雰囲気が一瞬で霧散した。

「知ってる人かと思って驚いただけ」

蒼生は優貴から目をそらした。

こんなところに秀次がいるはずはないのに、なぜ彼だと思ったのか……。

蒼生は乱れた鼓動を落ち着かせようと、深呼吸を繰り返した。蒼生と優貴が知り合い同士だとわかって、周囲の人たちは関心を失い、到着したエレベーターに乗り込んでいく。

「そうまでして驚くってことは、結局そいつのこと嫌いなんだな」

「小野塚くんには関係ない話」

蒼生はそう言ってエレベーターに視線を向けた。もう定員になってしまい、乗れずに諦めている人もいる。

「で、山本さんはいったいどうしてここに？」

優貴に不思議そうに問われて、蒼生は本来の目的を思い出した。

「今日からこのビルにある会社で働くことになったの」

「へーっ。いったいどういう風の吹き回し？　もしかして、俺が言ったことを気にした？」

優貴が大げさに驚いてみせ、蒼生はそっけなく答える。

「少しはね。でも、大きな理由は頼まれたからよ」

「頼まれた？」

「そう。八階にある株式会社ジャパン・コンベンション・プランニングって会社で……」

優貴が「ああ」と声を上げた。

「人事課から聞いてるよ。あの山本さんがあんただったなんてね」

「え？」

蒼生は首を傾げた。

「株式会社ジャパン・コンベンション・プランニングは俺の勤務先だ。ってことは、あんた、結局、俺の名刺を見なかったんだな。しかも、捻挫の件でもその後連絡がなかったし、つくづくあんたは俺に興味がないんだな」

優貴はおもしろくない、と言いたげな表情をした。陽菜子からメッセージが来て優貴へのメールを後回しにして以来、彼に連絡することをすっかり忘れていた。

蒼生は言い訳のしようがなく、黙って首を縮めた。そんな彼女をまじまじと見てから、優貴は眉を寄せる。

「でも、おかしいな。二十五歳の女性って聞いてたのに」

「えっ」

なにか行き違いがあったんだろうか、と蒼生が不安になりかけたとき、優貴が言う。

「歳ごまかしてない？」

「は？」

「次のテクノロジー博でイベントコンパニオンを務めてくれる山本さんなんだよね？」

「え？　私は社内翻訳者として来たんだけど」

優貴の眉間のしわがさらに深くなり、蒼生は不満顔になる。

「なんなのよ、その顔は」

「いや、だって」

「だって、なんなの？」

蒼生が詰め寄り、優貴は胸の前で小さく両手を挙げた。

「山本さんは、コンパニオンとかキャンペーンガールの、短期のアルバイトをしてるのかと思ってたから」

「はい？」

「短期の仕事が多いから就職活動で苦労してる、みたいなことを言ってなかったっけ？」

蒼生は自分の言ったことを思い返してみたが、就職活動に苦労していると言った覚えはない。短期の仕事が続いてるという話はしたと思うが。

蒼生はハンドバッグからベージュの革製名刺入れを取り出した。

「在宅翻訳者の山本蒼生と申します」

蒼生が差し出した名刺を、優貴が受け取ってまじまじと見る。

「ヤマモト……アオイ、さん」

「はい」

「社内翻訳者の職務経歴書を見たけど、性別欄がなかったし男だと思ってた」

「アオイじゃなくて、ソウだと思ったの？」

「そうそう、ソウだと思ったんだ」

「あ、そう、ソウなの……ってなんでやねんっ！」

蒼生は思わずビシッと手でツッコミを入れそうになり、かろうじてこらえた。小さく咳払いをして言う。

「まあ、名前で男性に間違われるのは初めてじゃないから」

「大変失礼しました」

優貴ににこやかな笑顔で言われて、蒼生は彼を斜めに見上げた。

「本当に失礼だと思ってるのか怪しいなぁ」

「いやいや、本当に思ってるって」

「じゃあ、なにを失礼だと思ったの？」

「え？」

優貴が小さく首を傾げた。

「私を男性だと思ったこと？　歳をごまかしてコンパニオンをしてるんだと勘違いしたこと？　それとも私が働いてないと思ったこと？」

優貴が参った、というような表情になる。

「全部です。本当に失礼しました」

優貴が頭を下げた。辛口男子の殊勝な様子を見て、蒼生はしてやったり、という気持ちになる。

「これから一ヵ月間、よろしくお願いします」

蒼生もぺこりと頭を上げた。同時に顔を上げて目が合い、優貴がふっと笑みをこぼす。

「山本さんには本当に驚かされるよ。それじゃ、案内します」

優貴が言って、ちょうど到着したエレベーターの方に恭しく手のひらを向けた。蒼生は背筋を伸ばして、ほかの男女と一緒にエレベーターに乗り込んだ。

株式会社ジャパン・コンベンション・プランニングはこのビルの八階と九階を占めていた。蒼生が勤務する予定の調査管理部は八階にある。エレベーターを降りて廊下を少し歩いたら、磨りガラスの自動ドアがあった。中に入ると受付デスクがあったが、まだ就業時間前なので受付に人の姿はない。

「少しここで待っててください。担当者を呼んできます」

仕事モードに入ったらしく、優貴は丁寧な口調で言って、総務部と書かれたドアの中に消えた。蒼生は邪魔にならないよう、入り口の奥にある大きな観葉植物の横に立った。

すぐに総務部のドアが開き、優貴ともうひとり、三十代後半くらいの男性が出てきた。細かいストライプのワイシャツとグレーのスラックスを着たほっそりした男性で、首からネームプレートを提げている。

「お待たせしてすみません。総務部人事課の大川正晃《おおかわまさあき》と申します」

男性がネームプレートを持ち上げて言った。

「山本蒼生です。よろしくお願いします」

正晃は蒼生を促すように手で奥を示した。

「それじゃ、調査管理部へご案内します」

「はい」

正晃に続いて蒼生、優貴と歩き出した。廊下の左側にまず総務部があり、続いて法務部、営業部、運営企画部……といくつか部屋があって、突き当りに調査管理部があった。

「今日は初日なので受付から入られたと思いますが、明日からはこちらの社員用通用口から入ってください」

正晃が言って、右手にあるスチール製のドアを示した。それからストラップのついたネームプレートを蒼生に差し出す。

「これが山本さんのネームプレートです。ドアの外側に読み取り機がありますので、そこにネームプレートをかざしてください。そうすればロックが解除されます」

「わかりました」

蒼生がネームプレートを受け取り、正晃が調査管理部のドアを開けた。そこは大きな窓と白い壁が開放的な部屋だ。手前に、デスクが二つずつ向き合う形で六つ並んだシマが二つあった。どのデスクにもデスクライトとパソコンが置かれていて、二十代から三十代の女性が三人と男性が五人、席に着いていた。優貴は右側のシマの一番奥の席にビジネスバッグを置いた。彼の席から通路を挟んだ窓際には、窓を背にしたデスクがあり、四十代後半で厳しそうな顔つきの大柄な男性が座っている。

「あちらが杉本《すぎもと》部長です。課長職はありませんが、代わりにリーダーがふたりいて、各リサーチ・プロジェクトを取り仕切っています。部長以外に男性七名と女性四名の合計十一名が所属しています」

正晃に促されて、蒼生は緊張した足取りで部長席に近づいた。

「おはようございます、部長。今日から一ヵ月間、藤原さんの代わりに入ってくださる山本蒼生さんです」

正晃に紹介され、蒼生はハキハキした口調で自己紹介をする。

「山本蒼生と申します。一ヵ月間一生懸命取り組みますので、よろしくお願いいたします」

「こちらこそ。クオリティ・トランスの坂口様には急なお願いにご対応いただいて、感謝しています」

部長が微笑んで言った。笑うとキリッとした一重の目元が緩んで表情が柔らかくなるが、やはり威厳と威圧感がある。

（私がヘマをしたら、紹介してくださった坂口さんにも迷惑がかかる）

蒼生は気を引き締めて立っていた。隣では正晃が部長に連絡事項を話している。その間に残りの社員が出社してきた。正晃に促されて、蒼生は調査管理部の全員が見えるように体の向きを変えた。

正晃が全員に聞こえるように大きな声を出す。

「みなさん、おはようございます。本日から藤原さんの代わりに勤務してくださる山本さんをご紹介します」

「山本蒼生です。一ヵ月間よろしくお願いします」

蒼生は丁寧に頭を下げた。顔を上げると「よろしくお願いします」と口々に明るい声が返ってきて、溶け込みやすそうな雰囲気であることにホッとした。

正晃が右側のシマの、誰も座っていない一番入り口に近いデスクを示した。

「山本さんの席はこちらです。使い慣れたご自分の辞書ソフトなどをお持ちかもしれませんが、セキュリティ保護の観点から、こちらのパソコンをお使いください。必要な辞書類はあらかじめインストールしてあります。藤原さんと同じ仕様ですので、業務に差し障りないかと思います」

それは坂口からも聞いていたことだ。蒼生は軽く頭を下げた。

「ありがとうございます」

「操作でわからないことがあれば、こちらの小野塚に訊いてください。彼はBグループのリーダーですので」

正晃が、近づいてきた優貴を示して言った。

「リーダー？」

蒼生が不思議そうに見上げるので、優貴は小さくため息をついた。

「名刺をもう一枚渡しましょうか？」

「あ、いえ、すみません」

蒼生はばつが悪くなってうつむきがちになった。正晃が優貴に向かって言う。

「それじゃ、あとはよろしく」

正晃が調査管理部を出ていき、優貴が説明を引き継いだ。彼によると、調査管理部はグループAとグループBに分かれていて、グループAのリーダーは三十三歳の福盛由季子《ふくもりゆきこ》という女性で、グループBのリーダーが優貴なのだそうだ。切磋琢磨する目的で、あえてリーダーがふたり置かれているのだという。

（課長職がなくてリーダーがふたりいるってことは、リーダーは課長クラスってことなのかな……？）

この辛口男は意外と優秀なのかも、と思いながら蒼生が席に着くと、優貴がパソコンの電源ボタンを押した。パソコンメーカーのロゴが表れ、しばらくしてデスクトップ画面になる。

「山本さんに最初に担当していただくのは、このファイルです。坂口さんからお話があったと思いますが、南アフリカの農業推進事業調査報告書の英日翻訳です」

優貴がマウスを操り、調査管理部共有フォルダという名称のフォルダをクリックして、いくつかあるワードファイルの一つを開いた。

「報告書は、大阪の繊維メーカーが再生可能エネルギー関連企業と一緒に、南アフリカで行っている農業推進プロジェクトに関するものです。最も効率的に生産できる条件を調査するため、土壌や日照条件の異なる場所で実際に作物を育てています。その調査結果がちょうど送られてきたところです。当社と共同で策定した調査計画に基づき、現地の大学の研究者が調査を実施して作成したものです」

優貴がそのファイルを最小化し、別のアイコンをクリックする。

「これが当社で普段使用している用語集です。今回のプロジェクトに関しては、訳語の統一のため、こちらの用語を使用してください。もちろん、必ずこの訳語が当てはまるとは限りませんので、状況に応じて適切な訳語を使ってくださって結構です」

優貴がマウスを動かしながら、業務の進め方を一通り説明した。

「ありがとうございます」

「わからないことがあれば、いつでも訊いてください」

「わかりました」

「それじゃ、自分のペースで仕事を進めてください」

優貴はそう言って、キビキビと歩いて自席に戻った。こうして見ると、仕事のできる爽やかイケメンに見える。

会社では私と話すときのように毒舌になったりしないのだろうか、と蒼生が思ったとき、右隣の席から同い年くらいの女性が蒼生に向き直った。フレームがピンクベージュ色のスタイリッシュなメガネをかけていて、知的な印象の小柄な女性だ。首から提げたネームプレートには大崎里穂《おおさきりほ》と書かれている。

「山本さん、大崎里穂です」

「あ、山本です。よろしくお願いします」

「こちらこそ。昨日、一番上の引き出しに私が使っているのと同じ文房具を用意しておいたんですけど、必要なものは揃ってますか？」

蒼生は引き出しを開けた。トレイに赤と黒のボールペンのほか、シャープペンシルや消しゴム、マーカー、定規、修正テープなどが入っている。

「あー、はい、大丈夫です」

「ほかに必要なものがあったら、言ってくださいね」

「ありがとうございます」

「それから、明後日の金曜日に、山本さんの歓迎会としてみんなで一緒に食事に行こうかって話してたんですけど、都合はいかがですか？」

蒼生は頭の中で予定表を思い浮かべた。翻訳会社から急ぎの案件を引き受けていなかったことを確認する。

「大丈夫です」

「よかった！　嫌いな食べ物とかありますか？」

「なんでも食べられます」

「じゃあ、創作和食のお店はどうですか？　掘りごたつの個室があるので、ゆっくりおいしいものが食べられますよ。うちの部でもときどき行くんです」

「みなさんがよければぜひ」

「じゃあ、そこに決定しますね！」

里穂は部署の全員に聞こえるように、「金曜日、山本さんオッケーです！　みなさんも空けておいてくださいね！」と言った。「オッケー」「了解しました！」と口々に返事が返ってくる。

（歓迎会かぁ。一ヵ月しか働かない私のためにわざわざ開いてくれるなんて……感激）

蒼生は朝感じていた緊張がずいぶんと和らいでいることに気づいた。

第七章　辛口な彼は上司様

「……さん、山本さん」

耳元で繰り返される雑音が、自分を呼ぶ声だとわかったものの、ちょうど英語で書かれたプロジェクトの工程表を読み込んでいるところだった。対峙しているのが、パラグラフ一つ分が一文という、やたらと長くてややこしい英文だったので、蒼生はパソコンのモニタを睨んだまま、軽く右手を挙げた。

ちょっと待ってくださいという合図のつもりだったが、声の主には伝わらなかったようだ。

「山本さん、もう一時間半経ちましたから、そろそろ目を休めてはどうかと思いますが」

耳元で英語脳の働きを妨げるような長い日本語が聞こえ、蒼生はいら立ちに任せて勢いよく振り返った。

「あ⁉」

不機嫌な顔で睨んだ背後には、白いマグカップとコーヒーカップを持って優貴が立っていた。蒼生の剣幕に驚いたのか、目を見開いている。

（しまった、仮にも彼は派遣先の上司だった！）

「すみません、なにかご用ですか？」

蒼生は少し表情を和らげたが、優貴には彼女の機嫌が直っていないことは伝わっていた。

「邪魔しましたか？」

「はい、あ、いえ、まあ」

思わず素直に答えてしまい、蒼生は言葉を濁した。優貴が苦笑する。

「藤原さんは一時間経ったら、目が疲れるからっていつも休憩してたんです。だから、山本さんもそろそろ休憩してはどうかと思って。まだ給湯室に案内してませんでしたが、コーヒーブリューワーがあるので、自由に飲んでいいですよ。なかなかおいしいです。これは来客用のカップですが、明日からは自分のを持参してください」

「ありがとうございます……」

蒼生は優貴からコーヒーカップを受け取った。

「スティックシュガーとコーヒークリームもありますが、取ってきましょうか？」

「いいえ、大丈夫です」

「目、疲れませんか？」

「お気遣いありがとうございます。でも、休憩するのは、集中力が途切れてからって決めてるんです」

パラグラフの途中までしか読んでいなかったので、キリのいいところまで読もうと、蒼生はコーヒーを一口飲んでモニタに向き直った。そうして、プロジェクトの資料と過去の調査、今回の工程表を読んで、報告書にざっと目を通す。流れや内容を理解してからの方が、いきなり英文を読み始めるよりも格段に訳しやすいからだ。

一段落して、蒼生は壁の時計を見た。いつの間にか十一時半を過ぎている。

（ちょっと一息つこう）

蒼生は目薬を差し、ぬるくなったコーヒーを飲み干した。給湯室があると聞いたので、廊下に出て左右を見る。社員用通用口の右側は更衣室になっていて、左側に給湯室があった。そこへ入ると、業務用の大きなブリューワーがある。

蒼生はブリューワーからカップにコーヒーを注ぎ、それを持ったままシンクにもたれた。家では休憩するときにストレッチをしたりするが、さすがに会社ではやりにくい。当然、眠くなっても家でのようにソファで仮眠を取ることも無理だ。

頭をシャキッとさせようと、熱いコーヒーを数口飲んだ。首を前後左右に倒したり回したりして、凝った肩をほぐす。だが、普段の出来高制の仕事とは違って、今こうしている間にも給料をもらっているのだ。それを思うと、これ以上給湯室で油を売っているのも気が引けて、すぐに調査管理部のオフィスに戻った。

椅子に座って、いよいよ報告書の翻訳に取りかかる。五年から十年で土に還《かえ》る繊維を生分解性繊維と呼ぶそうだが、それをカゴ状に編んだものに肥料を詰めて砂漠に埋め、作物を育てる、というプロジェクトの調査だ。

蒼生が翻訳の仕事をおもしろい、と思うのは、普段は簡単に読み流してしまいそうな分野の出来事を、深く知ることができるときだ。地元・大阪の小規模繊維メーカーが革新的なアイディアを出し、東京の大手企業と協力して海外でプロジェクトに取り組んでいることを知って、驚くと同時に誇らしく感じた。

（〝地域の気候に応じた作物を育てることで、砂漠化の進行を食い止め〟……〝砂漠化の進行を阻止し〟……の方がいいかな）

頬杖をついて考え込んでいると、隣から女性の小声が聞こえてきた。

「山本さん」

その声の主が里穂なのだと認識して、蒼生はできるだけにこやかな表情で右側を見た。

「はい？」

「もうランチタイムになりましたよ」

言われて時計を見上げたら、文字盤がぼやけていた。瞬きを繰り返して目を慣らすと、時刻は十二時を過ぎている。

「あ……ホントですね」

「山本さんはお昼、どうされますか？　食べに出ます？」

「この辺り、よくわからないんで、来る前にコンビニでパンを買ってきました」

「そうなんですね。近くにおいしい洋食屋さんがあるから、よかったら明日、一緒に食べに行きませんか？」

里穂に誘われて蒼生は嬉しくなった。会社勤めをしていたときは、同僚の女性社員と一緒にランチに行ったものだ。

「ぜひご一緒させてください！」

「じゃあ、明日は一緒に食べに行きましょうね」

里穂はそう言って、財布を持ってグループAのリーダー・由季子とともにオフィスから出て行った。残っていた男性社員も席を立ち、外へ出て行く。

優貴の姿はすでになく、蒼生は残りの社員を見送った。オフィスに誰もいなくなり、ホッと息を吐いて思いっきり伸びをした。

「ん～……」

背もたれに背を預け、あくびをしながら天井を仰ぐ。気持ちいいのでそのまま海老反りをしていたら、蒼生の視界に逆さまの優貴が入ってきた。

「わ」

蒼生は慌てて姿勢を正した。ひとりだと思って油断していたため、驚いて心臓がドキドキ鳴っている。

「お、小野塚リーダー」

「〝リーダー〟は別につけなくていいよ。みんなつけてないし」

「そうなんですね」

蒼生の言葉を聞いて、優貴が首を捻る。

「うーん、山本さんに敬語を使われると変な感じだな」

「だって、小野塚さんは一ヵ月間とはいえ、一応私の上司じゃないですか」

「一応って」

優貴は苦笑して続ける。

「今までずっとタメ口だったんだから、そんなの気にせず普通にしゃべってくれていいのに」

そうは言われても、一時的に雇われている身だ。やっぱり敬語を使ってしまう。

「小野塚さんはまだ昼食に行ってなかったんですか？」

優貴は仕方ないな、と言いたげに微笑んだ。

「ああ、運営企画部から戻ってきたところ。山本さんは食べに行かないの？」

優貴は彼のデスクまで歩き、持っていた書類を置いた。

「コンビニでパンを買ってきたんです」

蒼生はデスク下のカゴに入れていたコンビニの袋を取り出した。

「ふーん。外に行くのはやっぱり面倒くさい？」

「そういうわけじゃないです。食べに行けるような場所が近くにあるかわからなかったので、買ってきただけです」

それに、万一職場に馴染めなくておひとり様ランチをすることになったら寂しいと思ったからだ。

「でも、明日は大崎さんと一緒にランチに行きます」

蒼生は言って、プラスチック容器に入ったエスプレッソにストローを刺した。

「じゃあ、俺は食べに行くよ」

優貴は蒼生の後ろを通ったが、ドアの前でふと立ち止まり、振り返った。

「山本さんのこと、俺はちゃんと理解してなかったみたいだな」

蒼生はストローを咥えかけ、手を止めて優貴を見た。彼が言葉を続ける。

「短期の仕事っていうのは、納期の短い翻訳の仕事ってことだったんだ」

「そうですよ。小野塚さんが送ってくれた日はちょうど納期が終わったばかりで、仕事がない時期だったんです」

「定期的に仕事を受けてるの？」

「まあ、そうですね。でも、ちょっとでも訳抜けや誤訳をしてしまうと、次の仕事が来なくなるんじゃないかって、仕事中は毎回ものすごく緊張してます」

「だからあんなに真剣に仕事に集中してたんだな」

優貴にコーヒーを勧められる前、不機嫌な顔で『あ!?』と返事をしてしまったことを思い出し、蒼生はばつの悪い笑みを浮かべた。

「紹介してくれた坂口さんが、〝山本さんはリサーチもしっかりされる信頼できる方です〟って言ってたよ。期待してる」

さんざんけなされた相手にそんなことを言われて、蒼生は気恥ずかしくなった。

「えー、なんなんですか、気持ち悪い」

「気持ち悪いって……俺がせっかく認識を改めたのに、ひどいな」

優貴が不満そうに言った。

「だって、私のことをだらしないとかずぼらとか言いたい放題だったじゃないですか。その小野塚さんに褒められるなんて、なにか裏があるんじゃないかって勘ぐっちゃいます」

蒼生が疑り深げな視線を送るので、優貴が苦笑した。

「裏なんかないって。素直に受け取れよな」

「まあそうでしょうね。小野塚さんは言いたいことをズバズバ言うタイプみたいだから」

(見かけによらず)

蒼生は心の中でつぶやき、クスッと笑ってストローを口に含んだ。

「今、山本さんがなにを考えたかわかった気がする」

優貴が蒼生のデスクに近づき、不満そうな表情で片手をデスクにトンと置いたので、蒼生は驚いてむせてしまった。

「な……」

蒼生は咳き込みながら胸を叩いた。

「ったくドジだな」

優貴が右手を伸ばして蒼生の背中をさすった。口調は荒っぽいが、背中に触れる手は優しい。

「きゅ、急に……小野塚さんが……驚かすから」

「俺のせいかよ」

「だってそうでしょ？」

蒼生が涙目になって見上げると、優貴は小さく微笑んだ。

「ドジなのかしっかりしてるのか、あんたはよくわからないな」

派遣先の上司の印象がこれ以上悪くならないよう、蒼生は急いで口を開く。

「だ、大丈夫ですっ！　仕事はしっかりやりますから」

「仕事は、ね」

優貴はクスリと笑って、蒼生の背中を撫でていた手を止めた。

「きっと仕事に集中しすぎた反動なんだな」

「なにがです？」

「仕事以外では抜けてる理由」

蒼生は目を見開いたが、反論できる自信はなかった。

「もう、早く食べに行ってくださいっ」

蒼生は話題を切り上げるように、サンドウィッチのラッピングを外した。優貴は腕時計をチラリと見る。

「わかったよ。また邪魔したな。んじゃ、ごゆっくり」

優貴はそう言って、片手を挙げて背を向け、ドアの向こうに消えた。

「仕事以外では抜けてるって……やっぱりそう見えるのかぁ」

蒼生はがっかりしてつぶやき、ハムサンドにかじりついた。

「あ」

そのサンドウィッチに使われているのは普通のハムではなく、黒こしょうをまぶしたパストラミだ。一緒に挟まれているレタスは新鮮で、噛むとシャキシャキと音を立てる。

「うわぁ、このコンビニのサンドウィッチ、初めて食べたけどおいしい！」

蒼生はつい声に出した。在宅で仕事をしていて一番困るのは、話す相手がいなくて独り言を言う癖がついてしまうことだ。

「野菜サンドもおいしそうだったよね。明日買ってみようかな……って大崎さんに食事に誘われてたんだっけ」

食べ終えてお腹が満足すると、急に眠たくなってきた。やはり午前三時就寝はきついものがある。

耳を澄ましてみたが、誰かが帰ってくる気配はなさそうだ。少し昼寝をするくらいなら構わないだろう、と蒼生はパソコンのキーボードを押しやり、デスクに突っ伏した。スマホのアラームをセットしておいた方がいいかも……という考えが頭をかすめたが、それを行動に移す前に眠りに落ちていた。

左頬に冷たいものがピタリと触れて、蒼生はハッと目を覚ました。ガバッと顔を上げてキョロキョロ見回すと、左側に優貴が立っていた。右手にアイスコーヒーの缶を、左手に黒いスマホを持って耳に当てている。

「なんなんですか」

蒼生が文句を言ったとき、優貴は缶コーヒーを持ったまま右手の人差し指を立てて自分の唇に当てた。不満顔の蒼生の前で、優貴は電話の相手に言う。

「では、今から現地に向かいます。午後から不在にしますので、よろしくお願いします」

蒼生が瞬きを繰り返しているうちに、優貴は通話を終えた。そうしてじっと蒼生を見る。

「山本さん、付き合ってほしい」

優貴に真剣な表情で言われて、蒼生は眠気が吹き飛ぶほど驚いた。

「は⁉ 付き合ってって、いきなりなんなんですか⁉ 私のこと、女性扱いしてないくせにっ」

蒼生の言葉を聞いて、優貴は思いっきり眉を寄せた。

「『は⁉』はこっちのセリフだ。その付き合うじゃない。明日からインテックス大阪で国際電気自動車見本市が開催されるんだけど、インドブースでトラブルが発生したんだ。ちょっと手伝ってほしい」

「トラブルって？」

「車で現地に向かいながら説明する」

優貴がドアに向かって歩き出し、蒼生は急いで立ち上がった。

「私が一緒に行くってことは、翻訳絡みなんですよね？」

「ああ」

「わかりました」

蒼生は気を引き締めてバッグを取り上げた。優貴が昼休みを中断して戻ってきたことを考えると、急を要するのだろう。本当なら、辞書ソフトをインストールしているノートパソコンを取りに自宅に寄りたいところだが、無理そうだ。

蒼生は優貴に続いてエレベーターに乗り、地下駐車場に下りた。スチールのドアを開けたすぐ近くに白い社用車が駐まっている。優貴がロックを解除して助手席のドアを空けた。

「乗って」

蒼生が助手席に乗り込み、優貴は運転席に回った。彼はシートベルトを締めながら、蒼生に彼のスマホを向けた。

「これを見てほしい」

蒼生はシートベルトをしてスマホを受け取った。画面には動画共有サイトに投稿された動画が表示されている。

「再生して」

優貴に言われて、蒼生は再生ボタンをタップした。プラカーシュ・エレクトリック・カーという電気自動車メーカーのプロモーションビデオが再生される。丸みを帯びた、どちらかというとかわいらしい電気自動車にズームインして動画が始まったが、その字幕を見て、蒼生は我が目を疑った。

「〝当社は設備の整ったテスト施設と自動車のメーカーです強い技術力。我々は専門的な製造経験があり、我々は専門的な販売経験を持っているので、我々は顧客との良好なコミュニケーションを得ることができます。我々は世界中の友人とのWin-Win協力を持っていることを楽しみにしています〟……って、これは翻訳ソフトを使ったんですか？」

優貴はゆっくりとアクセルを踏みながら答える。

「それも無料のね。英語のパンフレットを翻訳ソフトにかけて、それをそのまま動画に字幕として表示させたらしい」

「トラブルってこれなんですね」

蒼生が言ったとき、車は地上に出た。そのまま公道に出て御堂筋《みどうすじ》を南下する。

「運営企画部が今回の見本市の運営を請け負っているんだけど、プラカーシュ・エレクトリック・カーっていう新興小企業が急遽出展することになったんだ。プラカーシュは見本市自体が初めてだから、入社三年目の吉村《よしむら》って社員が、特別にプラカーシュのコンサルティングを担当してる」

「なるほど」

「で、吉村がプロモーションビデオを見て、字幕がとんでもない日本語になってることに気づいた。今から翻訳会社に外注して翻訳者を探してもらうとなると、字幕を挿入し直すところまで今日中に終わりそうにない。それで吉村から俺に連絡があった。山本さんと現地に向かうことは、さっきの電話で部長に了解を取った」

蒼生は動画の音声をしばらく聞いてから、口を開く。

「わかりました。大丈夫です」

そのとき信号が赤になった。優貴がブレーキを踏んで、蒼生の気合いの入った顔をまじまじと見る。

抜けてる私だから不安なのだろうか、と思って、蒼生はおずおずと口を開く。

「あの、以前に台湾で開催された電動自動車見本市のパンフレットを翻訳したことがありますので、今回の案件も大丈夫です」

信号が変わって、優貴は横顔でうなずきアクセルを踏んだ。


それから車は順調に走り、大阪市住之江区《すみのえく》にあるインテックス大阪――正式名称・大阪国際見本市会場――へは二十分ほどで到着した。屋上駐車場からエスカレーターで一階に下りると、ドイツやイタリアなどさまざまな国の自動車メーカーが、広い展示場にモニタを設置したり電気自動車を搬入したりしている。

「インドブースがあるのはあっち」

優貴に案内されて、エレベーターにほど近い四号館に向かった。そこにはほかに三社が出展する予定で、それぞれの展示スペースで着々と準備が進められている。その一番奥まったスペースに、動画で見た電動自動車が置かれていた。頭上の看板には〝プラカーシュ・エレクトリック・カー〟と社名が表示されている。背後の壁に大きなスクリーンがあり、その前に三十代くらいのインド人と思しき男性がふたりと、二十代半ばの日本人男性がひとり立っていた。スクリーンの設置をしながらも、三人とも深刻そうな表情だ。

「あ、小野塚さん」

優貴に気づいて、日本人男性がホッとした表情になった。近づいてきた彼を、優貴が蒼生に紹介する。

「彼が運営企画部の吉村大和《やまと》。吉村、こちらは藤原さんの代わりに来てくれている山本蒼生さん」

「よろしくお願いします。さっそくですが……」

大和が蒼生を展示スペースの奥にある小さなテーブルに案内した。テーブルにはノートパソコンが二台あり、そのうちの一つを示しながら言う。

「こちらがプラカーシュのパソコンで、プロモーションビデオのナレーションデータが入っています。もう一台は僕が会社で使っているパソコンで、字幕合成ソフトが入っています。山本さんが訳したものを、動画に合うように字幕として表示させていきたいのですが……」

大和は言って、プラカーシュの社員ふたりの方を見た。ふたりは立て看板を持ったまま、どこに置こうか迷っている。

「吉村はまだ会場の設営作業があるんだよな？」

優貴の問いかけに、大和が情けなさそうな表情でうなずいた。

「実はそうなんです」

「動画に字幕を挿入する作業は俺がやるよ」

「いいんですか？」

大和がパッと顔を輝かせたので、優貴が苦笑した。

「そのために俺も来たんだ」

「ありがとうございます！　助かります！」

優貴はうなずいてパイプ椅子を二つ引き出した。一つに座って襟元に指を入れ、ネクタイを緩める。

「山本さん、お願いします」

「あ、はい」

蒼生は隣の椅子に腰を下ろした。目の前のパソコンはすでに立ち上がっていて、プロモーションビデオのナレーションの英文が表示されている。プラカーシュで使われているパソコンだけあって、ソフトやアイコンはすべて英語で表示されている。

蒼生は戸惑いながらもデスクトップからワードを開いた。当然、英日辞書の類いはない。

普段家で仕事をするときには、パソコンにインストールした辞書を使っているが、それ以外にも、有料のオンライン英和・和英データベース検索サービスを利用している。そのサイトを呼び出して、ワードファイルに訳文を打ち込んでいくことにする。

「キリのいいところまで仕上がったら、クラウドに保存して。俺がこっちで開いて字幕を作るから」

「わかりました」

蒼生が作業を行っている背後で、ブースの設営が再開される。仕切りのパネルを設置したりポスターを貼ったりする音に混じって、インド訛りの英語が聞こえてきた。

『無料翻訳ソフトで訳したのを見せたら、吉村さんがすごく驚いた顔をしてたね』

『目がまん丸になってたよな。そんな顔をされるほど変な訳になってたとは思わなかったな』

『日本語、わからないからね。ところで、あの女性、訳すのに何十分くらいかかるのかな？　翻訳ソフトなら一瞬なのに』

蒼生は手を止めて振り返った。

『この分量なら三時間弱です』

英語できっぱりと言い、目が合ったふたりが気まずそうに瞬きをする。

『そんなにかかるんですか』

『はい。できるだけ急ぎます』

『仕方ない、よろしくお願いします』

蒼生は一度うなずいて、すぐさまパソコンに向き直った。

途中で大和が缶コーヒーを差し入れてくれた。そのとき以外は仕事に集中して二時間四十分後、蒼生は必要な翻訳を終えた。クラウドに保存してから隣を見ると、優貴はこれまで見たことがないくらい真剣な表情でキーボードを叩いていた。まっすぐな目元と引き結ばれた唇に、思わず視線が吸い寄せられる。

（あれ、ちょっとかっこいい、かも）

優貴が視線に気づき、蒼生の方を見た。一度ギュッと目をつぶって、蒼生の顔に焦点を合わせる。

「どうした？」

低い声で問いかけられ、蒼生は我に返った。

「あ、終わりました。字幕の方はどうかな、と思って」

「あと十分くらいだな」

優貴がモニタに視線を戻した。その声に少し疲れが混じっているような気がする。優貴はクラウドからファイルを開き、映像を確認しながらシーンに合わせて訳文を区切り、場合によっては短くまとめて挿入していく。

蒼生は隣で大人しく座ったまま、彼が作業するのを見守った。

「できた」

少しして優貴がつぶやき、キーボードを叩いてプレビュー画面を表示させた。

「吉村、確認して」

優貴が声をかけると、カウンターにパンフレットを並べていた大和がテーブルに足早に近づいてきた。大和と一緒に蒼生もパソコンを覗き込み、優貴がパソコン上で動画を再生させる。蒼生が訳した日本語が、動画に合わせて再生され始めた。動画は三十分ほどで終わり、大和がほうっと安堵のため息をついて言う。

「完璧です。ありがとうございます」

蒼生が見ると、彼は目を潤ませていた。

「翻訳会社に外注してたら、まだ終わってなかったと思います。山本さん、本当にありがとうございました」

大和は深々と頭を下げた。

「お役に立ててよかったです」

「じゃあ、俺たちはこれで」

優貴が立ち上がり、蒼生も続いた。大和が優貴に言う。

「あの、本当に助かりました。小野塚さんは僕が入社したときの教育担当だったから、つい頼ってしまって……」

「いいって。それより、絶対成功させろよ」

「はい」

うなずいた大和の表情に少しの不安を感じ取り、優貴は大和の肩に手をのせた。

「おまえはホントよくやってるよ。俺が保証する」

優貴は励ますように大和の肩を軽く叩いて、プラカーシュの社員に向き直った。

『引き続き吉村が責任を持って担当します。よろしくお願いします』

優貴の口から流暢な英語が出てきて、蒼生は驚いた。

『こちらこそ。ありがとうございました』

優貴はプラカーシュのふたりと握手をして、蒼生を促す。

「行こう」

「あ、はい」

蒼生は歩きながら首をぐるりと回した。

優貴の区切った字幕はきちんと英語の流れや映像に合っていた。その仕上がりの完璧さや対応の丁寧さには彼の性格が出ているようで、悔しいけれど頼もしく思わざるをえない。

ともあれ、ずっとモニタを見ていたので肩が凝っているし、集中していた反動と安堵が合わさって、思考回路がどんどん減速していくのが自分でわかる。

(眠い……)

あくびを噛み殺しながらブースを出たとき、後ろから大和の声がした。

「小野塚さん」

蒼生の横で優貴が足を止めて振り返った。

「どうした?」

「今度一緒に飲みに行きましょうよ。最近、小野塚さんとしゃべってないんで、仕事のこととかいろいろ聞きたいです」

「いいよ、いつでもメールして」

「ありがとうございます！　では、失礼します」

大和は一礼して、軽い足取りでブースへと戻っていく。大和の姿が消えて優貴が歩き出し、蒼生は彼に続きながら言う。

「小野塚さん、慕われてますね」

優貴がふっと笑みをこぼした。

「あいつな、入社と同時にひとり暮らしを始めて、精神的に余裕がなくなってた時期があったんだ。それで、一緒に飯食いに行ったり、仕事以外でもよく一緒に過ごした。だからかな。部署が変わっても懐いてくれてる」

「小野塚さんって意外と面倒見がいいんですね」

「今、俺のこと見直しただろ？」

優貴がいたずらっぽく言い、蒼生も同じような口調で返す。

「小野塚さんが自分で言わなければ見直してました」

「失敗したか」

優貴は小さく肩をすくめた。

駐車場に戻って車に乗り、蒼生がシートベルトを締めている横で、優貴がおもむろに口を開く。

「ありがとう、助かった」

感謝のこもった口調で言われて、蒼生は瞬きをして優貴を見た。彼は真顔で蒼生を見つめている。

「ほかの仕事もあったはずなのに、有無を言わさず優先させてしまって……悪かったな」

「大丈夫です。仕事ですから」

蒼生は答えてから、以前にも機械翻訳によるとんでもない訳文を見たことを思い出し、クスッと笑った。

「実は前にも一度、同じような仕事を受けたことがあります」

「同じような？」

「はい。あ、もっとひどかったかも。どう見ても機械で翻訳した訳文を〝自分で訳してみました。一度訳しているので半額でお願いします〟って翻訳会社に依頼してきた人がいて」

「ふざけてんな」

優貴が顔をしかめた。

「経費を節約したかったんだと思いますよ。でも、その機械翻訳に手を入れるよりも、最初から原文を訳した方が速いし簡単だから、そうしましたけど」

「それじゃ、あんたは正規の半額で仕事をしたってこと？」

「結果的にそうなりましたね」

「おかしいだろ」

優貴の声に怒りが交じり、蒼生は苦い笑みを浮かべた。

「そうですね。でも、そのときはまだ翻訳者としての実績がなくて、依頼があった仕事を断れるような立場じゃなかったんです。実績がないと、登録さえさせてくれない翻訳会社もあるくらいですから。とにかく仕事をして実績を作らないことには、次の仕事につながらなかったんです」

「だからって……」

優貴は腑に落ちない、と言いたげな表情になった。

「でも、研究に使われるような教育論文だったので、私にとって大きな実績になったんですよ」

「そうか……。意外と苦労してるんだな」

優貴はしみじみとした口調で言った。シートベルトを締めてから、思い出したように「あ」と声を出す。

「どうしたんですか？」

「ちょっとしたご褒美をやるよ」

「ご褒美？」

「ああ。運営企画部の人からチョコレートをもらってたんだ」

「あ、嬉しい！」

蒼生にとって、疲れた脳の栄養補給にはチョコレートが一番なのだ。

優貴は後部座席に置いていたビジネスバッグを開けて、青い小さな箱を取り出した。

「イタリア土産だってさ」

優貴が箱を開けると、金色のフィルムに包まれた一口サイズのチョコレートが二つ顔を出した。蒼生も知っている有名なブランドのものだ。

「一つずつな」

優貴に一つ差し出され、蒼生は「ありがとうございます」と言って受け取った。包みの中から、おなじみのヘーゼルナッツ入りジャンドゥーヤをホワイトチョコでコーティングした一口サイズのチョコが現れる。

優貴は残りの一つを食べて、サイドブレーキを解除した。

「じゃあ、行くぞ」

「はい」

車がゆっくりと走り出し、蒼生はチョコレートを口に入れた。舌の上でチョコが蕩けてヘーゼルナッツの風味が広がる。そのコクのある甘さに人心地ついて、蒼生は座席に背を預けた。

頬になにかが触れて、蒼生はぼんやりと目を開けた。目の前に優貴の顔があって、ギョッとする。彼の大きな手が左頬に触れていて、蒼生は驚いて目を見開いた。

「にゃに」

なに、のつもりで唇を動かしたが、起きたばかりで舌がきちんと回らなかった。優貴が手を下ろして言う。

「その顔、マズイな」

「えっ」

(もしかして、よだれ垂らしてた⁉)

蒼生は焦って口元をぬぐい、優貴が呆れた声を出す。

「顔にシートベルトの跡がついてんだよ」

「あ、それで……」

彼が頬を触っていたのか、と蒼生は左頰を押さえた。フロントガラスの向こうを見ると、いつの間にか会社の地下駐車場に着いている。

「顔にシートベルトの跡をつけるほど脱力して寝てるやつを見たのは初めてだな」

優貴に言われて、蒼生は顔を赤くしてうつむいた。

「運転してもらってたのにすみません」

「インテックスの駐車場を出た直後から寝てた」

「実は今日の正午までに納品しなくちゃいけない仕事があって……前倒しで仕上げたために寝不足だったんです」

「何時に寝たんだ?」

「……三時です」

蒼生は小声で答えた。計画性がないとか自己管理ができていないとか、辛口なことを言われるのではと身構えたが、降ってきたのは思いもよらず優しげな声だった。

「……がんばってんだな」

蒼生が驚いて顔を上げた直後、優貴が右手を伸ばして蒼生の左頰に触れた。

「なっ」

驚いて優貴を見ると、彼の手は蒼生の頰を撫でて、顎をクイッと持ち上げた。

「あの、なに……」

急に距離を詰められ、目の前で優貴にじぃっと見つめられて、蒼生は落ち着かない気分になる。

「前髪で隠すしかなさそうだな」

優貴が言って顎から手を離し、蒼生の長めの前髪を右から左へ流すように梳いた。すぐそばに彼の端正な顔があって、蒼生の頰が知らず知らず熱を持つ。

「あの、いいです。そのうち消えると思うから……」

「その顔はみんなには見せられないな」

そんなにひどい跡がついているのか、と恥ずかしくなり、蒼生は大人しくされるがままになった。優貴の指先が前髪から耳の横へと移動する。

「仕事中とギャップありすぎだろ」

優貴がつぶやくように言って、蒼生の前髪を流すように頰にかけた。彼の手が耳たぶに触れて、蒼生はドギマギして小さく身じろぎをした。

「とりあえずこうしとけ」

「あ、ありがとうございます」

優貴がエンジンを切った。ドアハンドルに手をかけたが、ふと蒼生を見る。なにか考えているような彼の表情を見て、また抜けていると思われているのだろうか、と蒼生は不安になった。

「あの、すみません。自分でも、おおざっぱで抜けてるってことはよくわかってるんです。だからこそ、仕事中は気を張ってしっかりしなくちゃって思ってて……。でも、本当は普段からもしっかりしたいんですけど……」

そうしたら、今までだってもっといろんなことに気づけたはずだ。蒼生は情けない気持ちになって苦い笑みをこぼし、膝の上に視線を落とした。頭の中では省吾と秀次のことを思い出していた。

蒼生が黙り込んだので、優貴が口を開く。

「俺は……抜けてるあんたも嫌いじゃない」

思いもよらないことを言われて、蒼生は運転席の方を見た。目が合って、優貴が蒼生の頰に軽く左手で触れる。

「誰だって肩の力を抜く時間は必要だろ。山本さんが自分の仕事を、責任を持って果たそうとしてるのはよくわかってる。仕事中のあんたも、全力で脱力してるあんたも、全部あ

んだだ」

その言葉に、蒼生は自分を丸ごと肯定してもらえたようで、胸がじんわりと温かくなるのを感じた。

「まあ、ギャップには驚かされるけど……そういうのも悪くない」

最後は独り言のように言って、優貴はふっと顔を背け、ぶっきらぼうに続ける。

「脱力していい時間はもう終わり。さっさと行くぞ」

優貴が車の外に出て、蒼生も助手席から下りた。彼はリモコンで車をロックして、スタスタと歩き始める。そのわずかに染まった横顔は、照れを隠すようにしかめられていた。

そんな彼がくれた言葉は、まだ蒼生の心に温かく留まっている。

「私も小野塚さんのギャップ、悪くないと思いますよ」

蒼生がつぶやくと、優貴が振り返って「なに?」と言った。

「なんでもありません」

優貴は小さく首を傾げて歩き出した。蒼生は足取りも軽く彼を追いかける。

辛口だけど、意外と優しくて面倒見がよくて後輩に慕われている。今まで知らなかった面をいくつも見て、蒼生は優貴に対する認識を少し改めたのだった。

第八章　行きがかり上の恋人関係

翌日。出社した蒼生は、パソコンの前に座ってじっと待っていた。待って待って、さっきから五分以上待っているというのに、パソコンが起動しない。

（嘘～、壊れた？　っていうか、私が壊した⁉）

いつまで経ってもモニタは真っ暗なままだ。蒼生は青ざめながらデスクの奥に置かれたパソコン本体のタワーに耳を近づけた。すると、虫の羽音のような音がかすかに聞こえてくる。

音がするということは、電源は入っているはずだ。それなのに、どうしてモニタは真っ暗なままなのか。わけがわからず首を捻っていると、隣の席から里穂の声がする。

「山本さん、どうかしましたか？」

蒼生は情けない顔で里穂を見た。

「パソコンが起動しないんです～」

里穂が隣の席から首を伸ばして、真っ黒な画面を見た。

「あー、ホントですね。壊れたのかな。システム部の人に言えば見てくれますよ」

蒼生は内線電話に貼られた番号一覧に目を走らせた。

「そのパソコンは山本さんが来るのに合わせて購入したものです。いくらなんでもそんなにすぐには壊れないと思いますよ」

　いつの間に来たのか、背後から優貴の声がして蒼生は驚いた。振り返ると彼が上からパソコンを覗き込んでいる。

「でも、本当に起動しないんです」

　蒼生が困り顔で言い、優貴はタワーに耳を傾けて微笑んだ。

「音がしてますね。原因はほかにありそうだ」

　優貴がパソコンのＣＤ／ＤＶＤトレイの小さなボタンを押した。ウィーンと音がして、トレイと一緒にＣＤ-Ｒが出てくる。報告書のＰＤＦ版が入っているものだ。

「昨日、これを入れたままシャットダウンしましたね？

「そうですけど」

　それのなにがいけないの、と思って、蒼生は優貴を見上げた。帰る間際まで使っていたのだが、どうせ明日も使うから、と思って入れたままにしておいただけだ。

「パソコンはハードディスクからデータを読み込んで起動するんです。このパソコンは読み込むドライブがＣＤ／ＤＶＤドライブに優先設定されているみたいですね。最近のはそうじゃないのも多いんですが」

優貴が説明してくれたが、蒼生はパソコンには詳しくないので、わかったようなわからないような曖昧な表情をした。

「要するに、CD-Rを出せばちゃんと起動するってことです」

彼が言った通り、CD-Rを出すとパソコンはすぐに立ち上がった。モニタにパソコンメーカーのロゴが表示され、蒼生はホッと肩の力を抜いた。

「社内のシステムは九階のシステム部が管理しています。このパソコンも、山本さんが来る前、システム部が藤原さんのと同じソフトを入れて用意してくれたものです」

「そうなんですね」

「でも、今回のようなことだったら、わざわざシステム部に訊くまでもないですね。山本さんは普段からパソコンを使って仕事をしているから、詳しいと思ってたのに」

優貴に笑みを含んだ声で言われて、蒼生は頬を膨らませた。パソコンを使って行う仕事――つまり翻訳――には慣れているが、パソコンそのものには詳しくない。だからこそ、パソコンを買うときは、いつもサポートが充実しているメーカーのものを買うようにしている。

「悪かったですね」

（どうせ仕事以外では抜けてますよ）

蒼生はふて腐れて心の中でつぶやいた。斜め上から優貴の声が降ってくる。

「違いますよ、〝ありがとうございました〟でしょ」

蒼生は確かにそうだった、と反省しつつも、指摘されたことがおもしろくなくて、低い声で言う。

「アリガトーゴザイマシタ」

「なんだよ、その棒読み。あんたは子どもか」

優貴が蒼生にだけ聞こえるように耳元で言った。蒼生が顔を向けると、彼はニヤッと笑った。蒼生は驚いて目を見開き、優貴は席に戻っていく。

（昨日せっかく見直したのに……！　やっぱり小野塚さんの七十パーセントはヤなやつ成分でできてるっ）

だから彼はいつも一言余計なんだ、と内心ぷりぷりと怒っている蒼生に、隣の席から里穂が声をかける。

「パソコン、壊れてなくてよかったですね。ランチタイムにたくさんお話ししましょうね」

里穂に笑顔を向けられて、蒼生は気持ちを切り替え、「はい」と答えて自分のデスクに向き直った。


それから三時間かけて報告書を四分の一ほど訳し終わり、蒼生は大きく伸びをした。お腹空いたな、と思って時計を見ると、ちょうど十二時になったところだ。

「山本さん、ランチ行けますか？」

里穂に声をかけられ、蒼生はワクワクしながら答える。

「はい！」

「じゃあ、行きましょう」

里穂に促され、蒼生は由季子と三人でオフィスを出て、エレベーターに乗った。

「ホントにお勧めなのよ」

そう言って笑った由季子は背が低くぽっちゃりしていて、丸顔なのもあって実年齢よりも若く見える。独身で気さくな性格の彼女は、リーダーになる前からいつも里穂とランチに行っていたのだそうだ。

オフィスビルを出て、里穂たちの案内で洋食屋に向かった。オフィス街の真ん中にある店だが、裏通りにあるためか並ばずに入れた。ライトブラウンのテーブル席が十五ほどある明るい店内は、七割くらいしか埋まっていない。

窓際の四人掛けテーブルに案内され、由季子と里穂が窓を背にして座り、蒼生はふたりと向かい合う席に着いた。出窓にはレースのカーテンが飾られていて、カーテン越しに外の鉢植えのひまわりが見える。

「くつろげる雰囲気のステキなお店ですね」

蒼生の言葉を聞いて、由季子が言う。

「そうなの。うちの社員も結構来るわよ。噂をすれば、ほら」

由季子が視線を入り口に向けた。蒼生が振り返ると、優貴ともうひとり、同じ調査管理部の藤井《ふじい》瑛斗《あきと》が入ってきたところだった。

「ボリュームがあってリーズナブルだから、男性社員もよく来るの」

由季子が言って、優貴と瑛斗に手を振り、ふたりが会釈した。

「今日のランチはなにかな～」

里穂がつぶやき、厨房横の壁の黒板に目をやった。横一メートルくらいの大きな黒板に、白いチョークでランチメニューが書かれている。

「私はオムライスが食べたいからAランチにしようかな」

由季子が言った。Aランチはオムライスにサラダとスープだけだが、少し高いBランチはハンバーグ、Cランチはポークチョップがメインで、どちらもスープとサラダがついていて、ライスかパンが選べるようになっている。

洋食屋さんのハンバーグなら間違いなくおいしいだろう。だが、家で自分で作ることができないポークチョップにも惹かれてしまう。

蒼生が目を輝かせながら黒板を見ていると、隣で里穂が言う。

「私はハンバーグにしようっと」

「えー、もう決めちゃったんですか?」

蒼生は言いながらも、ハンバーグとポークチョップのどちらにしようか頭を悩ませる。

どっちもおいしそうで捨てがたい。

「どうしよう～、お待たせしてすみません!」

「いいわよ、ゆっくり決めて」

由季子が笑いながら言った。

「山本さんはどれが気になってるんですか？　あ、もしかして三つとも？」

里穂に訊かれて、蒼生は情けない表情で答える。

「BかCかで迷ってるんです」

「それじゃ、山本さんはポークチョップにして、私と半分こにしませんか？」

里穂の提案を聞いて、蒼生は顔を輝かせた。

「いいんですかっ⁉」

「い、いいですよ」

里穂が蒼生の勢いに押されて、つかえながら答えた。ふたりを見て由季子がクスクス笑う。

「とりあえず注文するわよ。お腹空いたから」

由季子がアルバイトらしい女性店員に合図をして、三人はそれぞれ注文を伝えた。蒼生がライスかパンかで迷ったのを見て、店員がテーブルから離れたあと、由季子が笑いながら言う。

「山本さんってすごくおもしろい人なのねぇ。仕事中なんて、いかにもクールビューティって感じて近寄りがたい気がしてたけど、なんだか和むわ」

「クールビューティ⁉　そんなふうに言われたのって初めてです！　最近、老け顔って言われたばかりなんで嬉しいです」

小野塚さんにも福盛さんの言葉を聞かせてやりたい、と蒼生は思った。由季子が苦笑する。

「老け顔って……女性に対して失礼なセリフね」

「ホントですよっ」

蒼生はうんうんとうなずいた。由季子が話を続ける。

「山本さんは実家暮らし？」

「いいえ、ひとり暮らしです」

「そうなんだ。イメージなんだけど、フリーの翻訳者って納期前とか大変そうだし、実家で暮らす方が楽なんじゃない？」

そういう質問をされるかもしれないと思ってあらかじめ用意していた答えを蒼生は言う。

「えっと、いろいろあってひとり暮らしをしてみようかなって思ったんです。ずっと実家にいたら、料理をする機会もなかったですし」

もっともらしく聞こえただろうと安心する反面、苦い気持ちが湧き上がってきた。里穂がうらやましそうな顔をする。

「いいなぁ。自分のやりたいことをやって食べていけるなんて」

「でも、毎月決まった額のお給料が入ってくるわけじゃないから、常に不安と隣り合わせです。クライアントさんが経費削減のため、品質よりも価格を重視した翻訳会社に頼むようになって、依頼が減ったこともありますし」

「そっかぁ。それも大変ですね。じゃあ、今日はポークチョップとハンバーグ、大きい方を食べていいですよ」

里穂に言われて、蒼生は冗談っぽく笑顔を作った。

「わーい、ありがとうございます～。って嘘ですよ、ちゃんと半分こしましょうよ」

「えー、私が細く見えるように山本さんを太らせようと思ったのに～」

里穂が言った直後、由季子が笑いながら言葉を挟む。

「なに言ってんの！　私に比べたらあなたたちふたりとも痩せすぎよ！」

里穂がテーブルに身を乗り出して蒼生に言う。

「そんなことを言いつつ、福盛さんはダイナマイトボディなんですよ！　ステキな彼氏だっていて。確かずいぶん年下でしたよね？」

里穂に視線を向けられ、由季子が答える。

「ずいぶんって……七歳年下ってだけよ」

「七歳！　いいな～、懐いてくれるかわいい年下男子！」

里穂はほうっとため息をついてから、蒼生を見た。

「山本さんは彼氏いるんですか？」

「いません」

蒼生は即答し、里穂が瞬きをした。

「え、意外。いないんですか？」

「出会いがないですから」

「そっかー。じゃあ、今度、私と一緒に合コン行きましょうよ！」

里穂に明るい声で誘われて、蒼生は困ってしまった。今まで必死で仕事をしてきて、気づいたらずいぶん恋愛から遠ざかっていた。合コン、という言葉を聞いただけでも、不安を感じて身構えてしまう。それに、省吾のこともまだ中途半端なままだ。

蒼生は当たり障りのない答えを言葉にする。

「あー……今は仕事の方に集中したいんで……彼氏はまだいいかなって思ってるんですよね～」

「そうなんですか？　楽しそうな街コン見つけたんですけど」

「街コンかぁ。私、参加したことあるよ」

由季子が会話に加わり、蒼生は話題が変わったことにホッとした。そこへ店員がランチプレートを運んで来る。仕切りのある白い大皿にライスとサラダ、ポークチョップとカップに入ったスープが盛られている。

「お待たせしました」

「待ってました～」

由季子が言って周囲の笑いを誘った。リーダーなのにぜんぜん気取ったところが感じられない。そんな由季子に、蒼生はすっかり親近感を抱いていた。派遣されたのがこの会社でよかった、と思いながら、おいしくランチを食べたのだった。

ランチのあと、蒼生は里穂の隣を歩きながら、ジャパン・コンベンション・プランニングの入るオフィスビルに戻った。由季子の「料理を習い始めた」という話を聞きながら、エレベーターを待つ。

（そういえば陽菜子にも習い事を勧められたっけ……）

友人との会話を思い出したとき、背後から女性の高い声が飛んできた。

「ちょっと！」

なんだろう、と思いながら蒼生が振り向いたら、三歩先くらいのところに三十代前半の女性と二十代半ばくらいの女性が立っていた。ふたりとも白のブラウス、ライトグレーのタイトスカートにチェックのベストを身に着けている。

お揃いだから、きっと制服なのだろう。蒼生がそんなことをぼんやりと思ったとき、ひとりが険しい表情で蒼生に近づいてきた。切れ長の目を強調した隙のないメイクに見覚えがあり、蒼生はハッとした。女性のベストの胸ポケットには〝受付・原口《はらぐち》香苗《かなえ》〟と書かれた名札が留められている。

「あ」

蒼生が声を上げると、香苗が蒼生に詰め寄った。

「なんでこんなところにいるのよっ」

表情同様険しい口調で言われて、蒼生の右足が痛みを思い出した。もちろんもうぜんぜん痛くないのだが、いい気持ちはしない。

「なんでって、それはこっちのセリフ……」

です、と言いかけて気づいた。香苗は優貴と同じ会社に勤めていたはずだ。優貴がいるのだから、彼女もジャパン・コンベンション・プランニングにいると気づくべきだった。

面倒なことにならないように、蒼生はできるだけ礼儀正しく言う。

「山本蒼生と申します。昨日から調査管理部で、藤原さんに代わって翻訳業務を担当しています」

蒼生はお辞儀をしたが、香苗は汚らわしいものでも見るような目つきで蒼生を見た。

「会ってすぐの男性と寝るような人が同じ会社にいるなんて、気分が悪いわ」

香苗の言葉に蒼生は瞬きをした。なんのことを言われているのか、さっぱりわからない。

香苗が蒼生に顔を近づけ、トゲのある声で言う。

「私、見たのよ。あなた、初対面の男性をラブホに誘って、一緒に入っていったでしょ」

「えっ」

声を上げたのは蒼生だけではなかった。隣に立っていた里穂と由季子もだ。ふたりに聞かれてしまい、蒼生は慌てて口を動かす。

「あの、それにはわけがあって」

せっかく打ち解けられたと思ったのに、会社の同僚に軽蔑されてしまう。その恐怖に舌がますます回らなくなり、蒼生の口からは意味をなさない言葉が出てくる。

「は、入ったって言えば、入ったんですけど、で、でも、それは本当に入ったたって意味じゃなくて、あの、その」

里穂と由季子の表情から完全に笑みが消えていて、蒼生は胃の辺りが冷たくなった。早く誤解を解かなければいけないが、いったいどう説明したら信じてもらえるのか。焦れば焦るほど、どうすればいいのかわからなくなる。泣いてもどうにもならないとわかっているのに、視界がにじんできた。そのとき、右肩を軽く叩かれた。

「いいよ、蒼生。別に隠さなくても」

蒼生が手の主の方へ顔を向けると、穏やかな笑みを浮かべた優貴が立っていた。呼び捨てにされたことに違和感を覚えたが、今はそれどころではない。

「か、隠さなくてもって、話しても信じてもらえるかどうか」

蒼生は昨日ジャパン・コンベンション・プランニングに来たばかりだ。だが、対する香苗はずっとこの会社で働いているのだ。どちらの発言の方を信じてもらえるか。それは考えるまでもない。

蒼生が今にも泣き出しそうなのを見て、優貴は大丈夫、というように一度うなずいた。そうして香苗に向き直る。

「原口さんは、山本さんと初対面の男性がラブホに入るのを見たって言いましたよね。その男性は誰でした？」

「だ、誰って……」

香苗は口ごもり、視線をさまよわせた。周囲には瑛斗のほかに数人の会社関係者がいる。香苗は優貴の名前を出していいものか迷ったようだが、優貴の方はあっさりと言った。

「正直に言ってくれて構いませんよ。それは俺でしたよね」

蒼生の背後で、里穂と由季子が「ええっ」と声を上げた。

「で、原口さんはなにを根拠に、俺と山本さんが初対面だと思ったんです？」

優貴に問われて、香苗が口ごもる。

「こ、根拠って……。だって、こ、この人は私たちよりあとからブルームーンに来たじゃない」

優貴が呆れたようにため息をついた。

「想像力がないですね。俺が蒼生をブルームーンに呼んだんですよ」

香苗が表情を引きつらせた。

「お、小野塚くんがこの人を呼んだ？」

「そう。俺は最初から蒼生と会うつもりだった。でも、原口さんに真剣な顔で〝相談したいことがある〟って言われたんです。同じ社の先輩にそんなふうに言われたら、いくら恋人との先約があっても、断れないですよ」

優貴は蒼生に優しい笑顔を向けた。周囲から見れば、優貴が恋人に向かって優しく微笑んでいるように見える。だが、目つきだけは鋭かった。蒼生に〝話を合わせろ〟と言いたげな強い眼差しを投げかけている。

蒼生は小さくうなずき、優貴が話を続ける。

「蒼生がここに派遣されてきたのは、本当に偶然なんです。藤原さんを紹介してくれた翻訳会社が、藤原さんの代理として蒼生の派遣を決めた。その偶然は、俺にとっては嬉しいことだったけど」

瑛斗が優貴の右肩に自分の肩をぶつけた。

「なんだよ、それ。優貴、いつの間に新しい彼女ができてたんだよ」

「最近だから、まだ友達の誰にも報告してなかったんだ。偶然とはいえ同じ部署に勤務することになったから、蒼生と話し合って、俺たちの関係はしばらく秘密にすることにしたんだ。でも、まさかこんなふうに原口さんにバラされるなんてね」

優貴にチラリと視線を投げられ、香苗は気まずそうに目をそらした。

「やだなぁ、原口さんってば。ヤキモチだかなんだか知らないけど、昼間っからラブなんとかなんて大声で言っちゃって」

由季子が呆れたように言い、香苗が顔を赤くして反論する。

「だって、この人が……山本さんが怪我したときだって、ふたりとも他人行儀なしゃべり方をしてたのよ！」

「それは蒼生の優しさなんです。蒼生は原口さんが気にしないよう、気を遣って先に帰るように言ってくれた。蒼生はそういう思いやりのある女性なんだ」

優貴が蒼生を見つめたままにっこり笑った。

（よくもまぁこんなに嘘がすらすらと……）

蒼生が呆れていると、優貴はいきなり蒼生の肩に手を回して引き寄せた。

「な、なんですかっ」

蒼生はとっさに声を上げ、優貴が蒼生の耳に唇を寄せる。

「ちゃんと話を合わせろ」

声を押し殺して言われて、蒼生は頬を染めたままうつむいた。みんなの前で肩を抱かれて、どういう顔をしていいのかわからない。

「ってわけで、蒼生には手出し禁止な」

優貴が瑛斗に向かって言い、由季子がやってられない、と言いたげに苦笑して首を左右に振った。

「彼氏がいないって言ってたのも、小野塚さんと同じ会社で同じ部署だったからなんですね。そんな気を遣わなくてもよかったのに～」

里穂が言ったとき、エレベーターのドアが開いた。蒼生は周囲につられて乗り込もうとしたが、その肘を優貴が摑んで足止めした。

「俺たちは次ので行きます。みなさん、お先にどうぞ」

由季子が笑って「お先に」と里穂を促し、瑛斗と香苗、もうひとりの受付の女性とともにエレベーターに乗り込んだ。蒼生は優貴と並んで、引きつった笑顔で手を振る。ドアが閉まってふたりのほかには誰もいなくなり、蒼生はホッと肩の力を抜いた。悪い噂が立つのを防いでくれたことに感謝し、優貴に礼を言う。

「助けてくれてありがとうございました」

蒼生の殊勝な感謝の言葉に対して、優貴はニヤッと笑った。

「あんたのうろたえてる姿ってホント、ツボなんだよ。黙ったままずっと鑑賞しててもよかったんだけど」

「なんですか、それ……」

蒼生は目を見開いた。

せっかく素直に感謝したのに、なんという言いぐさだろう。彼のヤなやつ成分の割合を引き上げてやろうかと思ったとき、優貴が急に真顔になって蒼生に顔を近づけた。

「あんたの困った顔って、なんだか放っておけなくなるんだよな」

「えっ」

その距離の近さと彼の真剣な表情に、蒼生の心臓が大きく跳ねた。蒼生の頬が赤くなったのを見て、優貴が視線をそらし後頭部をかきながら言う。

「まあ、なんていうか、抜けてて頼りないから目が離せないってやつ？」

「あー、ホントすみませんね〜、抜けてて頼りなくて」

蒼生はため息をついた。優貴が頭の後ろで手を組みながら言う。

「さーて、どうすっかな」

「なにがですか？」

「なにがって、俺たち、一応恋人同士ってことになっただろ」

「あっ」

蒼生は行きがかり上そうなってしまったことを思い出した。

「すぐに別れた、なんてことになったら、また原口さんが騒ぎ出しそうだからな。蒼生がここで働く間は、恋人同士のままでいるしかないだろうな」

「なんかどさくさに紛れて、さっきからずっと呼び捨てにしてません？」

「別にいいだろ。俺たち、付き合ってるんだし」

彼はあっさりと言った。

「でも、流れでそうなっただけですよ」

蒼生が念を押すように言ったとき、別のエレベーターが下りてきてドアが開いた。ふたりで乗り込み、優貴が八階のボタンを押す。

「蒼生は俺と付き合えて嬉しいとか思わないの？」

そう言った優貴の表情は、少し拗ねたようにも見えて、蒼生はドギマギした。その顔立ちでその表情は反則だ。

「俺は蒼生とならいいって思ったんだけどなぁ」

優貴が右手を伸ばして蒼生の頬にそっと触れた。蒼生はビクッとして一歩下がる。背中にエレベーターの壁が当たって、それ以上下がれなくなった。優貴が右手を壁につき、蒼生に顔を近づけた。

「蒼生といると素の俺でいられる。楽だし、なにより楽しい」

唇が触れそうなほど近い距離で甘く見つめられて、蒼生は戸惑いながら視線を床に落とした。

彼が率直にものを言うから、つい蒼生も思ったことを言ってしまう。困っていたら気づいて手を差し伸べてくれる。そんな彼と付き合ったら、きっと満たされた関係を築けるだろう。

「で、でも、私は……」

過去の自分を思うと、嫌悪感が蘇ってくる。そんな自分が彼のような男性に本気で好かれるとは考えられなかった。

困惑してチラッと視線を投げたら、優貴が小さくため息をついて蒼生から体を離した。

「蒼生の困った顔を鑑賞するのはいいと思ったけど、その原因が俺にあるってのはいい気がしないな」

彼が離れてくれて、蒼生はほうっと息を吐き出した。ドキドキと鳴っていた鼓動も徐々に落ち着いてくる。

蒼生のホッとした様子を見て、優貴が不満そうに言う。

「俺たち、運命的な出会いをしたと思ったんだけどな」

「私が階段から落ちたのを助けてくれた、あのときのこと?」

確かに運命的かもしれない、と蒼生は思ったが、優貴は首を横に振った。

「いや、それより前」

「え～？」

蒼生はブルームーンに行ったときのことを思い出そうとした。あのときは省吾との思い出をたどることが主目的だったから、あまり優貴のことは気にしていなかった。ただ、一度目が合ったときはイケメンだなぁとは思ったが。

「ヒントは蒼生が頼んだカクテル」

「ムーンライトダンスですか？」

「その次の次」

「えーっと……ウォッカマティーニ？」

「そう。俺も飲んでたんだ」

「ふうん」

興味なさげな蒼生の言葉を聞いて、優貴が咳払いをした。

「ウォッカマティーニ、シェイクン、ノット・スティアード」

その言葉を聞いたとたん、蒼生は目を輝かせた。

「えーっ、じゃあ、小野塚さんもあのスパイ映画シリーズのファンなんですか⁉」

「ああ」

「どのくらい？　最初の作品から見てます？」

「もちろん。ＤＶＤも全作揃えてる」

「ホントにーっ⁉　そんな人と出会ったのは初めて！　嬉しい～」

蒼生は思わず両手をパチンと合わせた。初期の頃の作品は何十年も前のものなので、蒼生くらいの年齢で全作観たことがあるとか、ファンだとか言う人にはなかなかお目にかかれない。蒼生は嬉しくなって、さっき彼に困惑させられたことなどすっかり忘れていた。

そのとき電子音声が八階に到着したことを告げた。エレベーターから降りて、優貴が声を潜めて言う。

「話も合いそうだし、とりあえず友達から始めてみようか」

「友達……」

新しい友達ができるのはもちろん嬉しい。けれど、そう思う反面、物寂しいような不思議な気持ちを覚えた。

「友達も嫌だって言うのか？」

優貴が不満顔で言うので、蒼生は慌てて首を横に振った。

「そういう意味じゃないです。私、ずっと家で仕事をしてたから、人と知り合うことが少なくて。友達ができるのは嬉しいです」

社員用通用口に近づき、優貴が読み取り機の前で足を止めた。ネームプレートをリーダーにかざしてぼそりと言う。

「困ったことがあったら俺を頼れよな」

それは友達として言ってくれているのだろうか。蒼生がうかがうように彼を見ると、優貴はニヤッと笑った。

「蒼生の困った顔は俺が独り占めしたいから」

「そういう意味⁉」

蒼生が唇を尖らせると、優貴は蒼生の耳に唇を寄せた。

「そばにいる限り、俺が蒼生を守ってやる」

からかったかと思ったら、甘い言葉をささやく。そんなふうにして私を振り回して、困った顔を鑑賞しようとしているのだろうか。優貴の本心が掴めず蒼生が首を傾げたとき、彼が蒼生のためにドアを開けた。

「どうぞ」

ドアの向こうにはちょうどそこを通りかかった由季子がいて、蒼生と優貴を見てニヤニヤ笑いを浮かべた。

第九章　甘い嚙み痕

翌日金曜日の業務終了後、蒼生は里穂たちとともに、土佐堀《とさぼり》川沿いにある創作和食レストランに向かった。自分ひとりだけのために歓迎会を開いてくれることが嬉しくて、自然と足取りが軽くなる。

「山本さん、楽しそうですね」

里穂に話しかけられ、蒼生は照れ笑いを浮かべた。

「歓迎会、とても楽しみにしてたんです。やっぱり嬉しいですから」

「嬉しいのは小野塚くんと一緒に食事に行けるからじゃなくて？」

由季子がからかうように言った。蒼生が困惑顔になったのを見て、里穂が言う。

「それだったら、ふたりきりの方がもっと嬉しいと思いますよ。ねー、山本さん」

「そ、そんなことないですよー」

「またまたぁ」

「ホントですってば」

そんなことを言い合いながら五分ほど歩くと、先を歩く男性陣が一見よくある白壁のビルの中に入っていった。

　こんなところに本当に和食のお店があるのだろうかと不思議に思いつつ、蒼生は里穂たちと後に続く。三階でエレベーターを降りると、灯籠が置かれた玉石の通路が出現して驚いた。オフィスビルの中にあるとは思えないしっとりとした和の雰囲気だ。入り口は純和風の引き戸になっていて、出迎えてくれた店員も着物風の制服を着ている。

「いらっしゃいませ」

　にこやかな笑顔の店員が、蒼生たちの一行を掘りごたつの広い個室に案内した。大きな窓には障子とすだれがかけられている。リラックスして食べられそうだと思ったのに、なぜか部長の隣の席になってしまい、蒼生は緊張しながら腰を下ろした。

　部長はスーツの上着を脱ぎながら幹事の里穂に声をかける。

「料理はコースで予約したんだったよね。飲み放題？」

「飲んべえの部長のために、もちろん飲み放題でーす！」

　里穂が気さくな調子で部長に答えるのを聞いて、蒼生は目を丸くした。

（こんな怖そうな人にそんな口を利いて大丈夫なの？）

　ヒヤヒヤする蒼生の前に、向かいの席から里穂がメニューを差し出した。

「ビールにカクテル、チューハイに日本酒、もちろんソフトドリンクも飲み放題ですよ〜」

　蒼生がメニューを眺めている横で、里穂たちが店員に最初のドリンクを注文していく。

（早く決めなくちゃ）

みんなを待たせないようにと、カクテル・メニューの一番上にあったカシスソーダをオーダーした。ほどなくしてドリンクが運ばれてくる。

「山本さんの歓迎会だから、とりあえず一言もらおうか」

部長が言うと、ガヤガヤしていた個室が急に静まりかえった。総勢十二名の視線が集まり、蒼生は体を硬くしながら立ち上がった。といっても掘りごたつなので、蒼生はまっすぐ立つことができず中腰になる。

（また挨拶させられるなんて思ってもみなかった！　しかも部長の真横だし〜！）

「み、みなさん、どうもこんばんは。山本蒼生です」

つい名乗ってしまい、斜め前の席から由季子が「知ってるよ〜」とヤジを飛ばして笑いを誘った。蒼生の頰がカァッと熱くなる。

「す、すみませんっ。あの、一ヵ月間ですが、みなさんのお役に立てるよう一生懸命がんばりますので、どうぞよろしくお願いしますっ」

勢いよくお辞儀をしたとたん、こたつ机に頭をぶつけた。ごんっという鈍い音がして、蒼生は「痛っ」と声を上げる。

「山本さん、テンパりすぎ」

またもや由季子の声がして、座に笑いが起こった。

蒼生は恥ずかしさのあまり真っ赤になりながら、体を縮込めるようにして腰を下ろした。

「山本さん、ようこそ。それから、みんなお疲れ様。ということで、乾杯！」

部長の簡潔すぎる音頭で乾杯が行われた。部長は生ビールを一気に半分ほど飲んでから、蒼生に話しかける。

「山本さんってしっかりしてそうなのに、案外おもしろいんだね」

「え」

蒼生は内心ドキッとして、グラスを持つ手に力が入る。

(抜けてて頼りないって、坂口さんに苦情を言われたらどうしよう)

心配になって部長を見たが、部長は穏やかに微笑んだ。

「でも、この三日間の仕事ぶりは申し分なかったよ。今日は山本さんの歓迎会だから、ゆっくり楽しんでくれ」

「あ、ありがとうございます」

蒼生は安堵して礼を言った。

すぐに戸襖が開いて、店員が〝海鮮サラダ〟や〝和牛のたたき〟、〝焼き万願寺唐辛子のおかかポン酢〟や〝小芋の揚げ出し〟などを並べ始める。

おいしそうな料理の数々に、蒼生は嬉々として箸を手に取った。横では部長が立ち上がって席を移動し、なぜか優貴と瑛斗の間に割り込んだ。そうして優貴の肩に腕を回し、なにやら話しかけている。大柄な部長にグイグイ来られて、優貴は勘弁してください、とでも言うように、胸の前で小さく両手を挙げた。

由季子がその様子を見て笑いながら、チューハイのグラスを持って空いた部長の席に移動する。

「小野塚くんは部長のお気に入りだからね～」

「そうなんですか？」

あんな怖そうな人に気に入られてるなんて大変だ、と蒼生は内心優貴に同情した。

「部長ってああ見えて部下と騒ぐのが大好きなの。今日の小野塚くんは絶対山本さんのことをネタにいじられるよ」

由季子がおかしそうに笑った。

ふたりの関係はいったいどこまで広まってしまったのだろうか。蒼生は考えながら海鮮サラダを一口食べた。シャキシャキした水菜と千切り大根、ホタテやスモークサーモンなどがわさび醬油ドレッシングで和えられている。

「あっ、おいし～」

蒼生はうっとりして二口目を食べようとしたとき、由季子から思わせぶりな視線を送られていることに気づいた。

「な、なんですか？」

「ふふふ、こっちはこっちでネタにさせてもらいますよ～」

「ど、どういう意味ですかっ」

慌てる蒼生をよそに、由季子はスプーンをマイクのように握って口元に近づけた。

「では、さっそく！　小野塚くんとの馴れ初めについて聞かせてくださ～い！」

マイク代わりにスプーンを突きつけられて、蒼生はたじたじとなりながらも、昼休みに優貴とメッセージアプリで打ち合わせておいたことを話す。

「そ、そんなたいしたことじゃないんですよー。お互い行きつけにしているバーで知り合ったんです」

「バーで？　バーで出会いなんかあるんだ！」

里穂が向かい側の席から身を乗り出してきた。

「あー、はい」

「小野塚さんってナンパとかしそうにないのに、するんですねぇ」

里穂の言葉を聞いて、蒼生は急いで否定する。

「や、ナンパじゃないです。たまたま飲んでいたのが同じ飲み物で、それが珍しいというか、変わったカクテルだったので……」

「変わったってどんな？」

すかさず由季子がスプーンを向ける。

「ステアじゃなくてシェイクしたウォッカマティーニなんです」

「それがどう珍しいの？」

由季子に続いて里穂が言う。

「私は聞いたことないカクテルですよ」

あの映画シリーズのファンじゃなければわからないか、と思いながら、蒼生は映画とカクテルのつながりについて簡単に説明した。由季子がおかわりしたチューハイを飲みながら、納得したようにうなずく。

「なるほどぉ。ふたりとも同じ映画のファンにしかわからないカクテルを飲んでたってことが縁で知り合ったのね～」

「はい」

「ドラマチックぅ」

由季子はグラスを両手で持ってうっとりした表情になった。チューハイ二杯ですでに酔ったのか、真っ赤な顔で目を潤ませ、しゃべり方も間延びしている。

蒼生はこれでこの話題を終わらせられるとホッとした。だが、そんなことはなく、ニヤけた顔の由季子ににじり寄られる。

「で……ふたりきりになったときの小野塚くんって……どんな感じぃ？」

由季子が蒼生の腕に自分の腕を絡めた。豊満な胸を押しつけられ、蒼生はドギマギしながら救いを求めて正面を見たが、里穂はお手上げ、というように小さく肩をすくめてみせた。

「ど、どんな感じって……普通……ですけど」

「普通ってぇ～。小野塚くんって、ああ見えて結構辛口でしょ？　ああいう人って実はツンデレなんじゃないの？　ふたりきりになったら山本さんにメロメロ～とか。かわいい子犬みたいに甘えてじゃれてきたりして」

甘えてじゃれてるのは福盛さんの方でしょう、と思いながら、蒼生は言う。

「小野塚さんに限ってそれはないですよー。普段通り、辛口でぜんぜんかわいくないです」

「えー、でも、どこかいいなって思うところがあるから付き合ってるんでしょ？」

由季子に問われて、蒼生は「うーん」と考え込む。由季子から期待に満ちた眼差しで見つめられ、なにか場を盛り上げるようなことを言わなければいけないのだとわかる。

（確かにイケメンだけど、顔がいいから、なんて答えちゃダメだよね。捻挫に気づいてくれたり、原口さんからかばってくれたり、優しいところもあるけど……いつも一言余計で人の神経を逆撫でするようなことを言って、感謝の気持ちを台無しにするんだ）

蒼生は小さく首を横に振った。

「どこだろう……。思いつかない」

蒼生が答えたとき、頭に大きな手がポンとのせられた。

「俺たちを酒の肴にしないでください」

振り返ると、いつの間に来たのか優貴が蒼生の背後で片膝を突いていた。

「あ、小野塚さん」

里穂がつぶやき、優貴がにっこり笑う。

「はい、彼女にいいところを思いついてもらえない、かわいそうな彼氏の小野塚さんです」

優貴が言って、蒼生の髪をくしゃくしゃとかき回した。それは女子が喜ぶ〝髪クシャ〟ではなく、ぞんざいな〝髪グシャ〟だ。おまけに蒼生を覗き込む彼の目は不機嫌そうだ。

「ちょっとぉ」

容赦なくぐしゃぐしゃと髪をかき回されて、蒼生は優貴の脇腹を押しやった。

「やめてくださいってばっ」

そんなふたりの様子を見て、由季子がニヤニヤと笑う。

「やーだ、もう。公認になったとたん、人前でいちゃつくのはやめようねー、小野塚くん」

「いちゃついてません」

優貴はきっぱりと言って、由季子とは逆側の蒼生の隣に座った。

「それより、芝田《しばた》さんのお姉さんが結婚するそうですよ」

「えっ、本当⁉　芝田さんのお姉さんは私と同い年なのにっ」

由季子がよろよろと立ち上がり、三十歳の男性社員・芝田の隣の席へと移動した。その姿を見送り、蒼生は小さくため息をついた。

「福盛さんって酔うと絡むんですすね」

「そう。弱いくせに、飲むのは大好きなんだから」

蒼生が見守っていると、由季子は芝田にも同じように詰め寄っていく。童顔なのにダイナマイトボディの由季子ににじり寄られ、芝田は嬉しいような困ったような複雑な表情をしている。

「彼氏なんだから、俺のこと、もうちょっといいふうに言ってくれてもいいのに」

優貴が不服そうな声で蒼生に言った。

「だって、まだよくわからないですし」

蒼生はほかの人に聞こえないように小声で言った。ふたりの関係はこれからどうなっていくのか。友達のままでいいのか。彼はどうしたいのか。わからないことだらけだ。

蒼生は〝海老しんじょうの湯葉包み揚げ〟を口に運んだ。そのとたん、あまりのおいしさに顔がほころぶ。

「わ、湯葉はぱりぱりしてるのに海老しんじょうはふわっふわ！　おいし～。これは日本酒でもよかったかなぁ」

蒼生がカシスソーダを飲み干すのを見て、優貴が微笑む。

「お代わりする？」

「えー、いいんですか？」

「当たり前だろ。飲み放題なのに遠慮するやつなんか初めて見た」

蒼生は小さく舌を出し、メニューを見た。飲み放題の日本酒は一種類なので、悩む必要はない。

「じゃあ、次は日本酒にしようっと」

蒼生がつぶやくのを聞いて、優貴は呼び出しボタンを押した。戸襖を開けた店員に、蒼生のドリンクとともに、ほかのメンバーの追加注文も訊いて伝えた。

ほどなくして店員が追加のドリンクを運んできた。

「お待たせしました」

「ありがとう」

優貴がグラスを受け取って、それぞれの前に配った。

おいしい食べ物においしい飲み物。そして和やかな雰囲気。

（こんな飲み会、久しぶり……）

蒼生はかつて友達だった同僚たちのことを思い出し、ほろ苦い気分になった。

（みんなどうしてるだろう……。あんなに仲良かったのに、もう誰とも連絡を取ってないんだ……）

蒼生が沈んだ表情になったのに気づいて、優貴が問う。

「どうした？」

「ううん、なんでもないです」

「なんでもないって顔じゃないぞ。俺の好きな困り顔をしてる」

「なっ」

蒼生は目を剥いた。

「俺でよければ話を聞くよ」

優貴が首を傾けて蒼生をじっと見た。上司としてなのか、偽恋人としてなのかはよくわからないが、心配してくれているのは伝わってくる。

（こうして新しい同僚ができたんだから、もういいじゃないの）

蒼生は首を横に振ってグラスに口をつけた。そのとき、救いを求める芝田の声が飛んでくる。

「小野塚さん〜！」

ほっそりした芝田は、すっかりできあがった由季子に押し倒されそうになっていた。

「仕方ないな」

優貴が苦笑しながら立ち上がった。蒼生は彼が由季子を芝田から引きはがしに行くのをぼんやりと見送りながら、日本酒を口に含んだ。キリッと冷えているのに、飲むと喉がカーッと熱くなる。そして、酔いとともに幸せな気持ちが大きくなる。

「おいしい」

心がふわふわしてわけもなく楽しい気分になり、蒼生はもっと幸せを味わうように、日本酒をゴクリと飲んだ。


「蒼生、おい、蒼生ってば」

蒼生は何度も肩を揺すられて、自分がこたつ机に突っ伏していたことに気づいた。

「なんれしょう」

顔を上げたが視界がぶれていて、舌がうまく動かない。

「なんれしょう、じゃないって。ったく、俺がちょっと目を離した隙になにやってんだ」

優貴に呆れたような声で言われて、蒼生はへらっと笑った。

「見ての通りれす。こたつに頭をのせてるだけれす」

「そういうのは寝てたって言うんだよ。蒼生はオンとオフのギャップが激しすぎ」

「お褒めにあずかり光栄れす」

蒼生はとろんとした目で優貴を見返した。

「褒めてないから」

「なんだ、残念」

蒼生はつぶやき、再びこたつ机に頬をつけた。さっき頬をつけていたところは生暖かい。冷たいところを見つけて頬を押しつけ、ひんやりした気持ちよさに口元を緩める。

「寝るな。もうお開きだ。帰るぞ」

「はーい」

蒼生は壁際に置いていたバッグに手を伸ばした。蒼生が取り上げるより早く、優貴がバッグの持ち手を掴む。

「送ってやる。彼氏だからな」

「えーっ、別にいいれすよぉ」

蒼生はバッグを取り戻そうとしたが、優貴にひょいとかわされた。

「こんな状態のあんたをひとりで帰らせたら、福盛さんにあとでなにを言われるか」

彼に言われて蒼生はゆっくりと頭を動かした。由季子は優貴が蒼生のバッグを持っているのを見て数回うなずいている。

「なるほろ」

優貴はハンガーラックに掛かっていた蒼生のジャケットを腕にかけた。

「ひとりで靴履けるか？」

「子ども扱いしないでくらはい」

蒼生は文句を言いながら個室の出口に腰掛け、パンプスに足を入れた。戸襖に掴まって立ち上がる。

「よいしょっと」

蒼生のかけ声を聞いて、優貴が苦笑した。

「やっぱ年齢詐称してんだろ」

蒼生は焦点の定まらない目で優貴を睨んだ。里穂が笑って言う。

「小野塚さんが送ってくれるなら安心かな。山本さん、また来週ね！」

「ありがとーございます。ごちそーさまれした」

蒼生はろれつが回らないまま、どうにか礼を言って里穂や部長に頭を下げた。優貴に続いてエレベーターで一階に降り、ビルの外に出る。歓迎会の間に雨が降ったらしく、アスファルトの路面が黒く濡れていた。梅雨明け前の空気はじっとりと重い。

「お疲れ様でした〜」

「また明日」

スーツ姿の男女が口々に言いながら、それぞれ利用する交通機関の方へと歩いていく。

蒼生は同僚の姿を見送りながら、ビルの外壁にもたれた。優貴が蒼生を振り返って言う。

「歩ける？」

「ん」

蒼生はこっくりとうなずいたが、優貴はため息をついた。

「まっすぐ立ててないから。タクシーで帰ろう」

「ご迷惑をおかけします」

「ホントだよ。あとで迷惑料もらうからな」

優貴は文句を言いながらも、蒼生の手を引いて歩き始めた。

「会社の人に見られちゃいますよ」

「付き合ってるんだから、見られてもいいだろ」

「そうかなぁ」

「そうだよ」

優貴が蒼生の手をキュッと握った。温かさと力強さが伝わってきて、蒼生の頬が緩む。

（なんだかんだ言って、小野塚さんって面倒見がいいんだよね。そこがいいところだって福盛さんに言ってあげればよかったかなぁ）

蒼生はふふっと笑みをこぼした。

車通りの多い通りに出て、優貴が片手を挙げてタクシーを停めた。開いたドアの前で優貴が言う。

「ひとりで乗れる？」

「なんとか」

蒼生は脳の命令がなかなか伝わらない手足を動かし、座席に座った。続いて優貴が乗り込み、運転手に蒼生のマンションの住所を伝える。

みんなで飲んだ楽しい気分に浸りながらも、窓の外に見える繁華街の明かりがまぶしくて、蒼生はそっと目を閉じた。


蒼生は体がふわふわと揺れるような感覚で、ふと目を覚ました。

「んー……?」

声を漏らすと、頭上から低い声が降ってきた。

「目が覚めたか?」

驚いて目を見開いたら、目の前に優貴の顔がある。

「うわぁっ」

蒼生は思わず仰け反り、背中と膝裏に回されていた彼の手にギュッと力がこもった。

「暴れるな、落ちる」

ぴしゃりと言われて、蒼生は体を縮込めた。

(ここはどこだろう)

目だけを動かすと、そこは見慣れた自分のマンションの共用廊下だった。

「えーっと……これはどういうシチュエーションですか?」

蒼生の怪訝そうな問いかけに、優貴は淡々と返す。

「タクシーの中で爆睡したあんたを部屋まで運んでやってるってシチュエーション」

「ええっ……それは……どうも」

すっかり目覚めてしまうと、自分が男性にお姫様だっこされているという事態に気恥ずかしさを覚えた。省吾とは気心の知れた幼馴染みから恋人になったためか、こんなふうに大切に扱ってもらった記憶はない。

（って、これは大切に扱われてるってこと？）

チラッと見上げると、優貴と視線が絡まってドキッとする。

「お、重くないですか……？」

「重い」

あっさり言われて、蒼生は肩を落とした。

「じゃあ下ろしてください」

足をばたつかせたら、彼の腕にギュッと力がこもった。強く抱き寄せられ、肩に触れる彼の胸板の逞しさに、優貴は男性なのだと改めて意識してしまう。

「嘘だよ。逆に軽すぎて、ちゃんと飯食ってるのか心配なくらいだ」

思いもよらぬ返答になにも言えないでいるうちに、蒼生の部屋の前に到着した。

「ほら、立てるか？」

優貴が蒼生を部屋の前でゆっくりと下ろした。

「ありがとうございます」

蒼生は鍵を開けて、チラリと優貴を見た。お礼にお茶でも出した方がいいのだろうかと思案していると、優貴が首を傾げる。

「入らないの？」

「あ、入ります」

蒼生が引いて開けたドアを、優貴が手で支えた。

「ちゃんと歩ける？」

彼に問われて、蒼生は一歩玄関に入った。酔いのせいか起きたばかりのせいか……それとも優貴にお姫様抱っこをされたせいかは定かではないが、顔は熱くほてっているものの、ふらつきはしなかった。

「大丈夫です」

「気分はどう？」

「悪くないです」

「そう」

蒼生は店を出てからの記憶が曖昧で、優貴を見上げながらおずおずと問いかける。

「あの、私……小野塚さんと同じタクシーに乗った……んですよね？」

「そうだよ。店を出てからタクシーを拾うまでは歩いてたけど、タクシーに乗ってすぐに爆睡したんだ」

「そうだったんですか……」

「覚えてないの？」

「はっきりとは」

「ふぅん」

優貴が不機嫌な顔になって続ける。

「だいたい、寝過ぎなんだよ、蒼生は」

「そんなに長く寝てました？」

「長さの問題じゃない。回数の問題だ。なんで俺の前で無防備に寝るかな」

優貴の口調にいら立ちがこもっていて、蒼生は自分がレストランでも優貴に起こされたことを思い出した。

「ごめんなさい。私、何度も迷惑をかけました……よね？」

「そう。だから、俺は迷惑料をもらうって言ったんだけど」

「えっ」

そんなに迷惑をかけたのか、と蒼生が不安になったとき、優貴が大きく一歩踏み出した。蒼生は反射的に横に避け、背中に玄関の壁が当たる。

「な、んですか？」

その問いに答えず、優貴は蒼生の顔を囲うように壁に両手をついた。彼の表情が険しくて、蒼生は身をすくませる。

「あんたを見てると、ホント、イライラする」

表情同様険しい声で言われて、蒼生は目を伏せた。

「ご、ごめんなさい」

「おおざっぱで抜けてて……無防備で危なっかしくて……目が離せなくて……どうしようもなく腹が立つ」

優貴がそう言って顔を近づけたかと思うと、蒼生の唇に自分の唇を押しつけた。蒼生は驚いて目を見開いた。彼が怒っていることはわかるが、表情は近すぎてよくわからない。

「おのづ……」

唇を動かそうとしたら、下唇を軽く吸われて甘く歯を立てられた。腰の辺りがビクリと震えて、蒼生の手からバッグが落ちた。

優貴は唇を離して大きく息を吐いた。そうしてぶっきらぼうに言う。

「迷惑料、もらっておいた」

「な、なんでっ」

蒼生は真っ赤になった。胸がドキドキして苦しくて、それをごまかすように文句を言う。

「いくら迷惑をかけられたからって、と、友達ならこんなことしないでしょ……」

「……そういうところが腹が立つって言ってんだよ」

優貴は蒼生の顔の横で拳をギュッと握りしめた。

「だからって――」

続きの言葉は彼のキスで唇を塞がれて出てこなかった。怒りをぶつけるように荒々しく、でも情熱的に口づけられて、蒼生の鼓動が大きくなる。

彼の舌が唇を割って侵入し、口内を撫で回した。深く口づけられ、彼のキスに溺れそうになって、頬がカーッと熱を持つ。友達だって言っておきながらキスをするなんて、という戸惑いが、激しいキスに蕩かされていく。

優貴の指先が首に触れて、蒼生はビクリと体を震わせた。髪を絡めるようにしながら首筋をなぞられて、肌が粟立つ。

「んっ……はぁ……」

甘い吐息が漏れ、優貴がクスリと笑って唇を離した。蒼生の顔の横に肘を突いて、蒼生の髪を撫でる。

「友達だなんて言っておきながら、俺のキスに感じてる」

その言葉を聞いて、蒼生は全身の血が引くのを感じた。同時に、秀次が亨に言った言葉が耳に蘇る。

『優しい言葉をかければ簡単に落とせるって』

『蒼生って股開くの早いから』

ああ、そうか、と蒼生は思った。

（小野塚さんも私のこと、簡単な女だって思ってるんだ。小野塚さんは〝友達〟だって言ってくれたから、永宮さんとは違うって、どこかで安心してた。永宮さんで懲りたはずなのに……私、また簡単に心を許しちゃった……）

　蒼生は視界がにじんできたが、泣くまいと必死で目頭に力を込めて優貴を睨んだ。

「なんだよ、その顔」

　優貴の声にまたいら立ちがにじんだ。蒼生は目に涙が溢れてきて、目をつぶると目尻からこぼれ落ちた。

「なんで泣くんだよ」

　優貴が苦しげな声でつぶやいた。蒼生の目から涙がポロポロとこぼれるのを見て、蒼生から体を離す。

「ごめん、泣くな。俺はただ……」

　蒼生はその場に座り込んで、膝を抱えて顔をうずめた。

「違う……から。私……そんな……」

　軽い女じゃないから、という言葉は、嗚咽《おえつ》のせいで出てこなかった。

「ごめん……」

　優貴が膝を突き、彼の声が近くなる。

「悪かった」

「もう帰って」

「蒼生がそうしてほしいって言うなら、そうするけど……」

　優貴の沈んだ声が言った。

「……ひとりになりたい」

「わかった……。俺が出たらちゃんと鍵をかけるんだぞ」

蒼生は膝に顔をうずめたままうなずいた。優貴は立ち上がったものの、迷うようにしばらくそのまま立っていたが、やがてゆっくりとドアを開けた。ドアが閉められ、少しして彼が歩き出し、廊下を去って行く足音が小さくなる。

『友達だなんて言っておきながら、俺のキスに感じてる』

そう言った優貴の声がまだ耳に残っていた。彼のキスに感じてしまったのは本当だ。ドキドキして胸が熱くなって……なにもかも忘れてしまいそうだった。

実際、省吾のことも自分の愚かな過去も忘れていた。

それなのに、彼は蒼生にキスをしておきながら『友達』だと言う。

（胸が痛い……）

彼の言葉は、噛み痕《あと》のように蒼生の心に強い痛みを残した。

第十章　友達デート

翌日曜日は仕事もなく、蒼生は目が覚めてからずっとベッドの中でダラダラしていた。

起きる気になれないのは、昨日の優貴との出来事のせいだ。

アルコールが抜けてすっきりした頭で、昨晩のことを思い出す。

（あんなキス……小野塚さんは誰とだってできちゃうのかな……）

そう思うと、胸がじくじくと痛んだ。蒼生は陽菜子に愚痴を聞いてもらおうと、ベッドの下を手探りして、バッグからスマホを取り出した。だが、新着メール有りを知らせるマークを見て、ハッとする。ドキドキしながらメールを開いたが、省吾からだと知って肩を落とした。

（べ、別に小野塚さんからのメールを待ってたわけじゃないし！）

自分で自分に言い訳しながら、省吾からのメッセージを読む。

『よかったら今日の午後、三時くらいにうちに来て一緒にお茶でもどうかな？　早く蒼生と仲直りしたいと思ってるんだ。嫁さんも気にしてる』

これまでにも何度か省吾から『会いたい』というメールが届いたが、そのたびに蒼生は仕事を口実に断ってきた。だが、省吾はついにしびれを切らしたらしい。今回は日時を指定され、蒼生はため息をついてスマホをバッグに戻した。

（いくらなんでも、いきなり今日の午後っていうのはないんじゃない？）

気が滅入ることばかりだ。蒼生はシャワーでも浴びてすっきりしようと、ベッドから下りた。

そうして熱いシャワーを浴びると、少しだけ気持ちが明るくなった。コーヒーを飲みながら、なにをして過ごそうかと考える。

せっかくの休日なのだから、有意義に過ごしたい。

そう考えたとき、半年前に翻訳に参加した報告書が出版されたと、出版社から連絡をもらっていたことを思い出した。八章に分かれている世界の経済開発報告書で、蒼生のほかに三名の翻訳者がチームとして和訳に参加した。監修者が二名入っているので、表紙にはそのふたりの名前しか記載されないが、蒼生たち翻訳者の名前は謝辞のあとのページに小さく掲載されているのだそうだ。

（ネットだと中身は見られないし……書店に見に行ってみよう）

そう決めて、蒼生は冷凍していたクロワッサンとインスタントの野菜スープでブランチをとった。それから、ライトブルーのシフォンブラウスと白のフレアスカートに着替えた。気持ちをマックスまで持ち上げようとしっかりメイクをして、白いショルダーバッグと同色のパンプスを合わせる。

（初夏らしくていいよね）

鏡を見て満足し、エレベーターで一階に下りた。エントランスから出ると、来客用駐車場に黒のＳＵＶが駐まっているのが視界に入った。車の前には男性が——優貴が——立っている。

「えっ、小野塚さん⁉」

蒼生は驚いて声を上げた。彼はボーダーのＶネックシャツにインディゴのジャケットを羽織って、袖を折り曲げている。白のチノパンに黒のスニーカーが爽やかな印象だが、彼の表情はどんよりと曇っていた。

「どうしたんですか？」

蒼生は彼に少しだけ近づいた。優貴はぎこちなく微笑む。

「おはよう」

「あ、おはようございます」

もうこんにちはの時間だよね、と思いながら、蒼生は挨拶を返した。

「昨日のことを謝りたかったんだ。電話やメールより直接会って謝った方がいいかなと思ったんだけど、蒼生が寝てたら悪いなと思って」

いつもの辛口が嘘のようにしおらしい口調だ。

「それで、ずっとここで待ってたってことですか？」

優貴がうなずいた。彼が落ち込んでいるのは蒼生のせいなのだ、と思うと、なぜだか胸がむずがゆくなった。

蒼生は彼に近づいて尋ねる。

「いつから待ってたんですか？」

「……九時」

優貴がぼそりと答え、蒼生は驚いて声が大きくなった。

「えっ、私が出てこなかったらどうするつもりだったんですか？」

「それは……いずれインターホンを鳴らしたかも」

控えめな言い方が彼らしくなくて、蒼生は笑みを誘われたが、懸命に口元を引き締めた。

「昨日は悪かった。蒼生があまりに無防備だから、つい気持ちが抑えきれなくなって、いきなりあんなことをして本当に申し訳ない」

優貴が頭を下げた。

「蒼生が泣くほど嫌だと思ってるとは思わなかったんだ」

優貴が顔を上げるのを待って、蒼生は気になっていた疑問を言葉にする。

「私ってそんなに無防備に見えるんですか？」

「見える」

(抜けてる上に隙だらけってこと⁉　永宮さんにとっても、つけ入りやすい女だったのかなぁ……)

蒼生が黙ってしまったので、優貴が口を開く。

「蒼生とこんな関係のままでいたくないんだ」

彼らしくない落ち込んだ顔だ。それを見てしまうと、もう怒る気になれなかった。

「わかりました。じゃあ、仲直りしましょう」

蒼生は右手を差し出した。優貴が蒼生の手と表情を見てから、ホッとしたように蒼生の手を握った。

「ありがとう」

優貴は蒼生の手を軽く握ってすぐに放し、手をポケットに突っ込んだ。

「今から出かけるところだったんだよな？　よかったら車で送ってくよ。あ、もちろん、下心はない。変なところに連れ込んだりはしない」

「そんなことするなんて思ってないですよ」

蒼生は笑みをこぼして続ける。

「それじゃ、どこか大きな本屋さんに連れて行ってくれますか？」

「本屋？」

「はい。見てみたい本があるんです」

「わかった。どうぞ乗って」

優貴が助手席のドアを開けた。

「ありがとうございます」

蒼生は礼を言って乗り込んだ。彼が運転席に回って座席に座り、エンジンをかける。同時に賑やかなポップスが大音量で流れてきて蒼生は顔をしかめた。優貴が慌ててボリュームを下げる。

「こんなに大きな音で聴いてたんですか？」

「どうにか気持ちを盛り上げようと思ったんだ」

「小野塚さんでも落ち込むことがあるんですね」

「そりゃそうだよ。蒼生の気持ちを考えないで、あんなこと……」

優貴はハッとしたように口をつぐんだ。もうその話は終わりにしたくて、蒼生は明るい声で言う。

「私、あんまり大きな書店って知らないんですけど、阿部野橋の書店でもいいですか？」

「いいよ」

「じゃ、お願いします」

「あのさ」

優貴がシートベルトを引き出しながら言った。

「なんですか？」

蒼生もシートベルトを締めながら優貴を見た。彼はもどかしそうな表情になって言う。

「ふたりでいるときぐらい、敬語はやめてほしい」

会社では上司になるが同い年であることを思い出し、蒼生は少し考えてから答える。

「あ、はい。じゃなくて、うん」

「〝小野塚さん〟も嫌だ」

「わかった」

蒼生の返事を聞いて、優貴がサイドブレーキを解除し、ゆっくりとアクセルを踏んだ。

「BGMはこの曲でいい？　気に入らないならFMとかにするけど」

優貴が公道へとハンドルを切りながら言った。

「ううん、いいよ。私もこのバンド好きだから」

好きな映画も同じ、好きな音楽も同じ。

（小野塚さん……じゃなくて小野塚くんとは意外と共通点が多いのかな）

蒼生が運転席を見ると、蒼生の視線を感じ取って優貴の横顔が微笑んだ。


それから三十分ほどで大阪阿部野橋に着いた。優貴が複合ビルの地下駐車場に車を駐め、ふたりでエレベーターに乗って大型総合書店のあるフロアへ上がる。

「ここから別行動にしない？」

蒼生は自分の名前を探すところを彼に見られたくなくて、そう提案した。

「いいけど……」

「その方がお互いゆっくり本を見られると思うの」

「わかった。ブラブラしてから蒼生を探すよ」

優貴がビジネス誌のコーナーに向かったのを確認して、蒼生は社会コーナーに向かった。翻訳に関わった報告書を探して、天井にまで届く棚を順番に見ていくと、上から二段目の棚に目当ての青い背表紙を見つけた。

（わーい、無事出版されてるー！）

蒼生は背伸びをして報告書を抜き出した。蒼生が訳したのは第四章と第八章だ。表紙を見ると、翻訳会社から連絡があった通り、著者と監修者二名の名前だけが記載されている。

翻訳者の名前は謝辞のあとのページに載せられているという話だった。蒼生がドキドキしながらパラパラめくると、聞いていた通り、謝辞の次のページに、この本の出版に関わった人の名前が記されているページがあった。上から順に主執筆者、編集、統計、表紙・レイアウトデザインなどの担当者の名前が並び、一番下の翻訳のところに、ほかの翻訳者の名前とともに〝山本蒼生〟と書かれている。

（ひゃー！）

翻訳者として出版物に名前が載るのは二度目だが、やはりその感動は言葉では言い表せないものだ。記念として、またほかの章がどんなふうに訳されているのか勉強するため、一冊買おうと考えた。だが、裏表紙の値段を見て愕然とする。そこには〝八千円〟との価格表示があったのだ。気軽に手を出せる金額ではない。

監修者は献本がもらえていいなぁ、と蒼生はため息をついた。買うかどうかもう少し考えることにして、ひとまず報告書を書棚に戻すことにする。背伸びをして本を書棚に差し入れようとしたが、両隣の本が傾いて報告書の入っていたスペースを塞いでいた。

蒼生は一生懸命つま先で立って本の隙間に人差し指を差し入れ、報告書を戻すスペースを空けようとする。

「うー……っ」

どうにか左側の本をまっすぐ立てたとき、右側から誰かの手が伸びてきて、右側の本を支えてくれた。

「それ、棚に戻したいの？」

右隣を見ると、優貴が立っている。

「え、もう来たの？」

「来たらダメだった？」

優貴が言いながら、蒼生の手から本を取り上げた。

「別に俺に見られて困るような本じゃないのに。むしろ普段からこんな難しそうなのを読んでるのかって感心すると思うけど」

「あ、そうじゃなくて。一応、読もうかなとは思ったんだけど、本当は記念に買おうかなって思って」

「記念？」

優貴は怪訝そうな表情になった。なにか思いついたのか、本をパラパラとめくり始める。

「あ」

蒼生が小さく声を上げたとき、優貴はさっきまで蒼生が見ていたページを開いた。さっと目を通して蒼生の名前を見つけ、ふっと笑みをこぼす。

「なるほど、記念ね」

そうつぶやいたまま、おかしそうに肩を震わせている。

「なによ」

蒼生の不満声に、優貴は口元を緩めたまま言う。

「昨日、店で酔ってだらしなく寝てたやつがこんなオカタイ本を訳してたなんて、想像できないな」

「うるさいなー。会社でもちゃんと仕事してるでしょ」

蒼生が睨むと、優貴が報告書を閉じた。

「蒼生のことを知った記念に俺が買おうっと」

「えっ、やだ、そんな記念いらないってば。本棚に戻してよ」

蒼生は手を伸ばして本を取ろうとしたが、優貴にひょいとかわされた。

「俺が買いたいから買うの」

「買っても読まないでしょ⁉」

「どうかな。原書と突き合わせて誤訳を探してやろうかな」

「性格悪〜！　大学の偉い先生がちゃんと監修してくれたんだからねっ」

優貴は蒼生の言葉を軽く笑って受け流し、さっさとレジに向かってしまった。そうして濃紺のビニール袋に入った報告書を持って戻ってきた。

「蒼生の用事に付き合ったし、次は俺の用事に付き合って」

「えー、どうしたらそういう流れになるわけ？」

「せっかく外に出たんだし、有意義に過ごすのも悪くないだろ」

「私、別にそんなに引きこもってるわけじゃ……」

優貴がエレベーター乗り場に向かって歩き出したので、蒼生は慌ててあとを追った。

「どこに行くの？」

「四階」

「四階？」

蒼生はエレベーターの横にあるビルの案内図を見た。四階にあるのは映画館のチケットカウンターだ。

「映画を見よう」

「一方的ね」

「蒼生だって見たいと思うけどな」

「別にいいけど、なにを見たいの？」

「ここは言わないでもわかるところだろ？」

優貴がいたずらっぽく言ったが、蒼生には彼の考えが読めなかった。

到着したエレベーターに乗り込むと、優貴が四階のボタンを押した。壁には夏らしく、新作ホラー映画の恐ろしげなポスターが貼られていて、蒼生は顔をしかめて目をそらした。

「ホラーならひとりで見てよね」

「蒼生はホラーが苦手なんだ」

「悪い？」

蒼生は反抗的に優貴を見上げた。

「悪いとは言ってない。でも、もし仕事でホラー小説の翻訳を打診されたらどうするんだ？」

「まだ仕事は選べないから……ありがたく引き受けるかな」

蒼生は複雑な顔つきで答えた。

「苦手でも訳せるの？」

「まあ……翻訳者は調べてなんぼってところもあるから。でも、知識を仕入れるためにホラー映画を見たりホラー小説を読んだりしなくちゃいけなくなると思うし……ホントに仕事がもらえたら夜寝られなくなりそう」

蒼生は壁のポスターをチラッと見て、背筋を震わせた。

「俳優の顔がホラーすぎるっ！」

蒼生の言葉を聞いて、優貴がおかしそうに笑った。

「それより、小野塚くんは本当はなにを見たいの？」

蒼生が言ったとたん、優貴ががっかりしたような声で言う。

「〝小野塚さん〟じゃなくなったと思ったら、〝小野塚くん〟なのか」

「だって〝小野塚くん〟でしょ」

蒼生の言葉を聞いて優貴はこれ見よがしにため息をついた。

「なにが不満なのよ」

「いろいろと」

優貴は拗ねたように口元を歪めた。爽やか系の顔が台無しだ。蒼生は笑いをこらえながら言う。

「そんなことよりなにを見るつもりなのか、いいかげんに教えてよ」

「蒼生も見たいと思うんだけど」

結局はぐらかされて答えがわからないままだ。蒼生は彼と一緒にエレベーターを降りてチケットカウンターに向かった。だが、電光掲示板に表示されているタイトルを見て、ハッとする。

「もしかして、あのスパイ映画シリーズの最新作⁉」

「正解！」

「うわ、どうしよう」

蒼生は急にワクワクしてきた。

「友達は興味がないって言うし、映画館にひとりで行く勇気がなくて、いつもＤＶＤが出るまで待ってたんだぁ。嬉しいなー。映画館で見るのはきっとすごい迫力だよねっ」

「よかった」

優貴が嬉しそうに笑った。「誘ったのは俺だから」と彼が映画のチケットを買ってくれた。ふたりともキャラメル味のポップコーンとアイスコーヒーをお供に座席に着く。

暗くなって上映が始まり、蒼生は胸を躍らせながらスクリーンを見つめた。

最初に大写しにされたのは、寂しげな風が吹く東欧の街だった。傍受した情報を元に、主人公のスパイが現地に潜入する。事件に巻き込まれ、謎めいた美女と出会う。だいたいこういう美女は敵であることが多いのだが、実は味方という場合もあり、いつもの通りストーリーから目が離せなくなる。そして、お約束のようにその美女とスパイは体を重ねた。そのホットなシーンで、蒼生は優貴と見に来ていたことを思い出し、居心地が悪くなった。チラッと隣を見たら、視線に気づいた彼と目が合い、スクリーンから艶っぽい声が聞こえてきて蒼生は真っ赤になる。

（なんで小野塚くんの方を見てしまったんだろ！）

けれど、恥ずかしくなったのはそのときだけで、あとは映画に引き込まれた。裏切りに次ぐ裏切り。もう誰が味方なのかもわからない。そんな緊迫したシーンが続き、派手なアクションで事件は解決。

上映が終わって明るくなっても、蒼生はまだ胸がドキドキしていた。

「すごい迫力！　やっぱり大きなスクリーンで見ると違うね～」

「映画館が初めてってわけじゃないんだろ？」

隣の席から優貴が蒼生の顔を覗き込んで言った。

「もちろん。でも、このシリーズを映画館で見たことはなかったから」

省吾とは彼が好きなスポーツ観戦のデートが多かった。大学時代の友人とは恋愛映画を見たし、陽菜子とも彼女の好きな恋愛映画しか見ない。

「これからどうする？」

優貴が言った。

「どうしよっかな〜」

蒼生はつぶやきながら考え込む。

（今のこの精神状態なら……省吾に会っても大丈夫かも……）

そろそろ本気で過去にケリをつけたい。まだ不安はあるが、せっかく思い立ったのだ。気持ちが萎えないうちにと、蒼生は優貴を見た。

「私はこれから人に会いに行くわ」

「えっ、いきなり？　俺とお茶するとかじゃなくて？」

優貴が驚いた顔で言った。

「うん。前から会いたいって何度も言われてて」

「それって男？」

「うん」

蒼生の返事を聞いて、優貴は椅子にぐったりと背中を預けた。

「なんだよ、それ〜」

「え？」

「彼氏候補がいたのか」

優貴が恨めしそうに蒼生を見た。蒼生は慌てて首を振る。

「彼氏候補なんかじゃないよ！　元彼！」

「元彼って……ラブホに行ってまで吹っ切ろうとしてた男のこと？」

「そうだけど、ちょっと違う。でも、いつかは会わなくちゃいけないいなって思ってたから」

蒼生は立ち上がったが、右手首を優貴にぐっと摑まれた。

「行かせない」

「どういうこと？」

蒼生が優貴を見ると、彼は真剣な表情で蒼生をまっすぐ見つめていた。その視線の強さに蒼生はドキリとする。

「会ってどうすんだよ。元鞘に戻るのか？」

「違う。そんなんじゃない。戻りっこない」

優貴は立ち上がって険しい表情で蒼生の行く手を塞いだ。

「それなのに今さらまた会おうとするのはどうしてなんだ？」

強い口調で問われて、蒼生は視線を床に落とした。

「彼が……私と和解したいんだって」

「和解？　なんで？」

優貴が怪訝そうに言う。

「彼は私の幼馴染みで……東京勤務の間に浮気して、その相手と結婚したの。今回大阪に転勤になったんだけど、私とのことは近所の人も会社の人も知ってて……」

優貴は小さく息を呑んだ。

「だから、蒼生と和解したいってことなのか？」

「そう」

「勝手な男だな」

優貴の声には怒りがこもっていた。蒼生が見ると、優貴は唇を引き結び、蒼生の手をギュッと握った。

「わかった。それなら俺が送る」

「どうして？」

「蒼生の力になりたいから」

優貴がきっぱりと言った。思いやりと力強さに満ちたその言葉は、蒼生の胸にじんわりと染みこんで、目頭を熱くする。

「ありがとう……」

「次の上映も始まるから、まずはここから出よう」

優貴は蒼生の手を引いて歩き出した。

映画館のフロアを出るだけなのに、省吾との距離が近づいている気がして、不安が大きくなる。蒼生は優貴の力強い手に引かれるに任せて、駐車場に戻った。優貴が車のロックを解除して言う。

「そいつとどこで会うんだ？」

「……彼の家」

蒼生は小声で答えた。優貴は強い口調で言う。

「やっぱり俺がそばにいた方がいいな」

優貴が助手席のドアを開けて、蒼生に乗るよう促した。

「どうして？」

「どうしてって……」

優貴の頬がわずかに朱を帯び、それをごまかすように仏頂面で言う。

「もしぶんなぐってやりたくなったとき、俺がいた方が都合がいいだろ」

蒼生は思わず苦笑した。

「私を止めてくれるの？」

「違う。俺が殴った方が威力があるからだ」

「私が本当に彼を殴りたがると思ってるの？」

「まさか」

優貴は蒼生から視線をそらした。

「もし……泣きたくなったとき、ひとりじゃない方がいいだろ」

優貴が低い声で言い、蒼生は口元が緩むのを感じた。その言葉だけでも、ひとりじゃないんだと気持ちが強くなる。省吾と彼を蒼生から寝取った女性を見ても、もう泣いたりしない、と思えた。

「ありがとう……」

優貴が照れたように人差し指で頬をかいて言う。

「それに、俺がいたら、そいつらも蒼生に新しい彼氏ができて幸せなんだって思って、安心できるかもしれないだろ」

「そっか……そんなふうに考えたこと、なかったな」

蒼生はぽつりと言った。自分が前に進みたいから、省吾と会っても平気なんだと確かめたい。そればかり考えていた。

「ま、とにかく乗れ」

優貴の口調は相変わらずぶっきらぼうだったが、それは彼の照れ隠しなのだとわかった。

「ありがとう。お願いするね」

蒼生は言って助手席に乗り込んだ。

「先に彼に電話していい？」

蒼生が言うと、優貴は「わかった」と言って助手席のドアを閉めた。運転席側に回ったが、そのままドアを開けずに立っている。蒼生は膝の上に置いたバッグからスマホを取り出し、六年前に消去して最近また登録した省吾の電話番号を表示させた。一度深呼吸をしてから、発信ボタンをタップした。四回目のコールのあと、懐かしいテノールの声が聞こえてくる。

『もしもし、蒼生……？』

「うん」

『電話くれて嬉しいよ』

ホッとしたような声で省吾が言った。

よくそんなことが言えるわね、と蒼生は嫌味を言いかけ、かろうじて呑み込んだ。過去の話を蒸し返したら、前に進めない。

蒼生は努めて明るい声を出す。

「時間ができたから、今から一時間後くらいにそっちに行こうと思うんだけど、どうかな。急すぎる？」

『そんなことない！　来てくれたら嬉しいなって思ってたから』

省吾は間髪容れずに言った。

「そっか」

『うん。じゃあ、あと一時間後に』

省吾が電話を切ろうしているのを感じて、蒼生は急いで口を開く。

「あのね、あの……彼も一緒に行ってもいいかな？」

『彼？』

省吾の声が驚いたように高くなった。

「うん。私だって……新しい恋をするよ」

『そうか、そうだよね』

通話口から、省吾の安堵した明るい声が返ってきた。

『わかった。ふたりで来てくれるんだね』

「うん。それじゃ、一時間後に」

『嫁さんと待ってるよ』

嬉しそうな省吾の声が聞こえて、電話は切れた。蒼生はスマホをバッグに戻し、大きく息を吐いた。省吾の声を聞いても胸が痛くなったり苦しくなったりしなかった。それは自分が確実に前に進めているという証拠だと思ったとき、運転席のドアが開いた。

「終わった？」

優貴が心配そうな顔で蒼生を見た。

「うん。奥さんと待ってるって」

「そう」

優貴は運転席に座ってエンジンをかけながら言う。

「行き先を教えて」

蒼生は省吾からのメールを表示し、文末に書かれている新居の住所を優貴に伝えた。

「じゃ、出発するよ」

優貴がシートベルトに手を伸ばし、蒼生も自分のベルトを締めた。運転席を見ると、大丈夫？　というように首を傾げながら自分を見つめる優貴と目が合い、蒼生はしっかりとうなずいた。優貴がそばにいてくれることに、心強さを感じながら。

第十一章　失恋の清算

省吾の家には高速を使って一時間ほどで着いた。蒼生たちの実家がある住宅街の近くには、まだ田んぼが残っていたのだが、それが埋め立てられて、また新たに住宅地ができたのだ。その一角に新しい五階建てマンションが建っていて、三階の一室が省吾たちの新居になっている。

「この辺りって相変わらずコインパーキングがないんだ」

蒼生は外をキョロキョロ見渡して駐車できそうなところを探したが、適当な場所は見つからなかった。

「駅前まで戻ろうか？　一ヵ所コインパーキングがあったし」

優貴に提案されたが、蒼生はそれより近い実家の庭に駐めてもらうことにした。

「自転車を詰めれば二台駐められるから」

蒼生は言って実家への道順を案内した。といっても、省吾たちのマンションから五分も走らない場所にある。

「ちょっと待ってて」

蒼生は築三十年の一軒家の前で停めてもらい、ひとりで降りて門扉を開けた。黒く塗られた門扉には少しさびが浮いていて、年月を感じさせる。

庭に駐まっているはずの父の白いセダンがない。

（留守かな……？）

蒼生はチャイムを鳴らそうか迷ったが、自分の実家だ。横開きのドアに手をかけ、右に動かすとカラカラと軽い音を立てて開いた。

「ただいまぁ」

蒼生は大きな声で言って一歩中に入った。

「蒼生っ⁉」

驚いた声がして、リビングから母が顔を覗かせた。年に一度、正月にしか戻ってこない娘の姿を見て、母が目を丸くしている。

「そう、蒼生でーす。これから省吾の家に行こうと思って」

「なにしに」

母の表情が険しくなり、廊下をずんずん歩いて近づいてくる。

「省吾と奥さんがこっちに越してきたでしょ。私と仲直りしたいんだって」

「それは自分たちがここで暮らしやすくするためでしょ？　そんな勝手な理由で、裏切った蒼生に連絡してくるなんて、図々しいにもほどがあるわ。行かなくていい。お母さんはまだあのふたりのことを許してないいんだから」

蒼生は努めて穏やかな声を出す。

「私、前に進みたいの。もう省吾と会っても大丈夫だから」

「そうは言っても、あなた、あんなに傷つけられたのに」

「お母さんが私のために怒ってくれてるのはわかるよ。でも、もう省吾は私のところに戻ってこないし、謝ってくれるって言うのなら、それを受け入れたい」

母はまだ納得できないと言いたげな表情だ。蒼生は実家に立ち寄った本来の目的を言葉にする。

「ここまで車で来たんだけど、この辺り駐車場がないんだよね。庭に駐めてもいい？」

「車なんていつの間に買ったの？　在宅翻訳なんて不安定な仕事でよくローンが組めたわねぇ」

母が言いながら外を覗いて、「あら」と声を上げた。

「なんか運転席にすごいイケメンが乗ってるように見えるんだけど」

母の表情が戸惑いから期待へと変わり、蒼生は苦笑した。

「あー、うん。今ね、一ヵ月だけ社内翻訳者として働いてるんだけど、彼はその会社の同僚の……というか上司にあたる小野塚優貴さん」

「え、え？　え！　じゃあ、ちょっと上がってもらいなさいよ。挨拶しなくちゃ！」

母が自分の身なりを確かめるように全身を見下ろし、「あら、やだ」と言いながら、ゆったりしたグレーのカットソーとワイドパンツをパタパタとはたき始めた。

蒼生は慌てて言う。

「今から省吾の家に行くから、上がってもらうヒマなんてないし、挨拶とかもいいよ」

「そういうわけにもいかないわ。母として蒼生の彼氏をそのまま帰すなんて」

「彼氏とかそんなんじゃ……」

優貴との関係をうまく説明できないでいるうちに、母はサンダルをつっかけ、蒼生の前を素通りして庭に出た。

「ちょっと、お母さん！」

蒼生は急いで止めようとしたが、時すでに遅く、母は車の運転席にいそいそと近づいていた。優貴が気づいて降りてくる。

「ご挨拶が遅れて申し訳ありません。蒼生さんの同僚の小野塚優貴と申します」

母は頬を染めながらも、にこやかに微笑んで言う。

「蒼生ったら、こんなステキな彼氏ができてたのに教えてくれないんだから～。来てくださるってわかってたら、きちんとお迎えする準備もしたんですけど、ごめんなさいねぇ」

「お母さん」

蒼生が追いついて声をかけると、母はハッとしたように言う。

「あ、そうそう。こちらこそご挨拶が遅れました。蒼生の母です。主人はあいにくゴルフに行ってて留守なんです」

「すみません、連絡もせず突然お伺いして」

「いえいえ。でも、ホントよかったわ。蒼生のことは心配で心配でたまらなかったのよ。なにしろ省吾くんとは高校生のときからのお付き合いで、ご近所でも会社でも公認の仲だったから。別れることになったとき、蒼生はそれはもうひどいショックを受けて……」

「お母さんってば！」

蒼生は恥ずかしくなって母のカットソーの袖を引っ張った。

「あら、言っちゃダメだった？」

母に訊かれて蒼生は言いよどむ。

「そういうわけじゃないけど……」

「大丈夫ですよ。蒼生さんからすべて聞いています。過去を清算したいという蒼生さんの気持ちを尊重して、ご一緒しました」

優貴が爽やかな笑みを浮かべて言ったが、蒼生は複雑な気持ちになった。

（〝すべて〟は話してないんだけどな……）

だが、優貴の言葉に母は感激して、目を潤ませながら言う。

「そうなんですね……。娘をどうぞよろしくお願いします。今度は主人もいる日に、ぜひいらしてくださいね」

「はい」

優貴はにっこり微笑んだ。

だが、蒼生と優貴は行きがかり上恋人を演じているだけで、本当の恋人同士ではない。

蒼生の戸惑いをよそに、嬉しそうな母は庭に駐めていた三台の自転車を避けて、二台分の駐車スペースを作った。そんな母の姿を見て、蒼生の胸が痛む。

（いつか本物の恋人を連れてきて、お母さんを安心させてあげたいな……）

蒼生がそんなことを考えている間に、優貴は空いたスペースに車を駐めた。彼が降りてから、母が言う。

「省吾くんにパンチの一発くらいお見舞いしてやってくださいね。そして、帰りにはぜひうちでお茶を飲んでいってください」

「パンチはお見舞いしないってば」

蒼生は母に言ってから、優貴を促して歩き出した。「いってらっしゃーい」と言う母のウキウキした声を背中で聞きながら、省吾の新居へと向かう。

実家に車を駐めるなら、こういう展開になるのを想定すべきだった。蒼生は申し訳ない気持ちで優貴を見る。

「なんか……ごめんね。お母さん、小野塚くんのこと、彼氏だって勘違いしちゃったみたいで」

「俺は構わない」

そう言いつつも、優貴の声はどこか不機嫌に聞こえる。

（やっぱり嫌だよね。親と会社の人とじゃ違うもんね……）

自分の行動が招いた結果に落ち込みそうになったとき、五階建てマンションが見えてきた。隣を歩いていた優貴が呆れた声を出す。

「こんな超ご近所に住むなんて、よっぽど面の皮が厚いやつらなんだな」

蒼生は省吾から一ヵ月前に送られてきたメールの内容を思い出しながら言う。

「奥さんが妊娠してて、心細いだろうからって自分の実家の近くに住むことにしたって言ってた」

「元彼のご両親は息子の行為をなんとも思ってないの？」

「申し訳ないとは思ってたみたい。何度か菓子折を持って謝りに来たって母が言ってた。でも本人が来ないなんて許せないって言って、母は受け取らなかったって。子どもの頃は家族ぐるみで付き合いがあって仲がよかっただけに、母もつらかったと思う」

「複雑だな」

優貴がボソッと言った。

「ホントにそう。あんなに仲良しだったのに……」

こんな狭い町内であんなことがあったのだから、きっとみんな暮らしづらかっただろう。苦しんだのは自分だけじゃなかったんだ、と蒼生は今さらながら思い至った。

「できるなら過去をキレイに清算して、母の心も軽くしてあげたい」

蒼生はつぶやくように言って、マンションのエントランスに入った。エレベーターで三階に上がる。西の角部屋のインターホンを押すと、すぐに受話器を持ち上げるカチッという音がした。

「はい」

　省吾の声だ。

「山本です」

「すぐ開けるよ」

　インターホンの接続が切れた数秒後、ダークブラウンのドアがゆっくりと開いた。カジュアルなホワイトシャツにチノパンという格好で、省吾が立っている。

「蒼生……」

　六年ぶりに見た彼は、顎の辺りが逞しくなって男性らしさが増した以外、あまり変わっていなかった。嬉しそうに笑っているのは、これでご近所とうまくやっていける、と安心しているからだろうか。

　そんな彼の様子を見ても、悲しくも苦しくもならなかった。ラブホテルなんかに行かなくても、蒼生の中で彼はとっくに過去の男になっていたのだ。

　蒼生は穏やかな気持ちで省吾に優貴を紹介する。

「こちらが電話で言った彼。同じ会社の小野塚優貴さん」

「初めまして、小野塚と申します」

　優貴は軽く頭を下げた。

「初めまして。どうぞお入りください」

　省吾はドアを大きく開けて、蒼生たちが入れるように一歩下がった。

「お邪魔します」

蒼生は言って、勧められたスリッパに足を入れた。省吾に続いて蒼生、優貴と廊下を歩く。

(奥さん、どんな人なんだろ……)

省吾からのメールに、紗恵《さえ》と名前が書かれていたことを思い出した。

「紗恵、蒼生たちが来てくれたよ」

省吾に示され、蒼生はリビングにゆっくりと足を踏み入れた。ソファに座っていたコットンワンピースの女性が立ち上がる。蒼生より少し年上で、明るいブラウンの髪は肩の上で緩くカールしていた。目鼻立ちのはっきりした美人で、ハーフだと言われても納得できそうだ。

(すごくキレイな人……。妊娠六ヵ月くらいだったっけ?)

「蒼生さんですね。来てくれてとても嬉しいです」

口調もハキハキしている。

「あ、いえ。このたびは……おめでとうございます」

蒼生の言葉を聞いて、省吾が笑う。

「このたびって言うには、少し遅いよな。俺たち、結婚して四年になるし」

これは嫌味なのだろうか、それとも幸せぼけしてるだけだろうか、と蒼生が考えていると、紗恵に「どうぞ」とソファに促された。

蒼生と優貴が腰を下ろしたのを見て、紗恵が優貴に視線を送って言う。

「ステキな彼氏さんですね」

蒼生が礼を言うより早く、優貴が口を開く。

「彼氏というより婚約者です」

蒼生は驚いて右側を見たが、優貴は素知らぬ顔だ。

（ま、いっか……。その方が省吾たちも安心するだろうし）

「そうなんですか。それはおめでたいことですね。省吾、お茶を用意するの手伝ってくれる？」

紗恵が立ち上がり、省吾が彼女を支えるように腰に手を回した。ふたりは仲睦まじく、壁で仕切られたキッチンへと入っていく。省吾が左手でドアを戻し、ドアはゆっくりと閉まったが、完全に閉じる前に止まった。

ふたりの姿が見えなくなり、蒼生は声を押し殺して優貴に言う。

「いつの間に婚約者になったのよ」

「ついさっき」

「電撃婚約ね」

蒼生が冗談っぽく言ったとき、キッチンのドアの隙間から紗恵の声が漏れ聞こえてきた。

「小野塚さんってどう見てもホストかレンタル彼氏よね」

「どうしてそう思うの？」

省吾の声だ。

「だってイケメンすぎるじゃない。あんなに愛想がいいなんて不自然よ。それに、彼が『婚約者です』って言ったとき、蒼生さん、驚いた顔をしてたわよ」

紗恵の観察眼の鋭さに、蒼生は内心舌を巻いた。

「たとえ偽物の婚約者だとしても、蒼生の芝居に乗ってやれば、俺たちはここで暮らしやすくなる。紗恵だって、なにかあったときに俺の両親に気兼ねなく頼りたいだろ？」

「それはもちろんそうだけど……なんだか蒼生さんが気の毒で」

（人の彼氏を寝取っておいて、よく言うわ）

蒼生は呆れながら、優貴の耳元にささやく。

「小野塚くん、イケメンすぎるって。よかったね」

優貴は真顔で蒼生を見つめ、左手で蒼生の顎をつまんだ。

「なにす――」

蒼生は文句を言いかけた唇をキスで塞がれて、目を丸くした。ここは省吾の部屋だ。そう思って優貴の胸を押しやろうとしたが、昨晩のように下唇を吸われて甘噛みされ、蒼生の背筋を淡い刺激が駆け上がった。

「ふ……」

理性が麻痺し、勝手に吐息が漏れる。

（小野塚くんのキスって……ゾクゾクする……）

ついとろりと目を閉じたとき、カチャンと陶器の触れ合う音がして、蒼生はハッと我に返った。音のした方向を見ると、キッチンのドアの前に紗恵と省吾が驚いた顔で立っている。

（やだ、なにやってたんだろ！）

蒼生は恥ずかしさと気まずさで顔が真っ赤になったが、優貴はゆったりと紗恵たちの方を振り向いた。

「あ、すみません。おふたりがあまりに仲いいんで、つい」

そうして申し訳なさそうな表情で小さく頭を下げた。その照れた仕草のおかげで、彼の言葉が真実味を帯びる。

これで悪びれた様子がなかったら、いかにも慣れたホストっぽい。蒼生は優貴の度胸と演技力に感心してしまった。

「いや、なんか……あはは」

省吾がぎこちなく笑いながらフルーツケーキをのせたトレイをローテーブルに置いた。その隣に紗恵がティーポットとティーカップののったトレイを置く。そうして優雅な手つきで紅茶を注ぎ始めた。だが、手元がわずかに震えていて、動揺しているのがわかる。

この人でも動揺するんだ。それがなんだかおかしくて、蒼生は頬を緩めた。蒼生から彼氏を寝取った女性で、しかも実家の近くに住むなんてどんな鉄面皮《てつめんぴ》かと思ったが、意外と人間味があるようだ。

(もうすべて水に流そう……)

そう決めると、じめじめと沈んでいた心が梅雨が明けたみたいに晴れやかになった。

ケーキを食べ終えて帰るときには、笑顔で心から「お幸せに」と言うことができたのだった。

第十二章　友達と恋人の境界線

その後、蒼生の実家に寄ったら、母はこざっぱりしたブラウスとスカートに着替えていて、なぜか寿司が用意されていた。母に勧められて、仕方なく三人で寿司を食べることになったが、当然のことながらひとりテンションの高い母は、優貴とのことを根掘り葉掘り訊きたがった。だが、優貴とは行きがかり上、恋人を演じることになっただけだ。結局会社の同僚にしたのと同じ説明をして、蒼生は優貴を急かし、早々に実家から退散した。

帰りの車の中で、蒼生は改めて優貴に礼を言う。

「本当にありがとう。小野塚くんの言った通りだったね。一緒に来てくれてよかった」

「だろ?」

優貴の横顔が得意そうになった。彼の表情が結構豊かなことに、蒼生は今さらながら気づいた。蒼生は視線を前に戻しながら考える。

彼は一ヵ月間、会社では恋人同士でいようと言ってくれたが、母がものすごく喜んでいたことを思うと、母には一ヵ月で別れたとは言いづらい。それに蒼生自身、彼のことをもっと知りたい、彼のもっといろんな表情を見たい、と感じていた。あと三週間ちょっとで別れたことにするのだと思うと、なんだか胸がギュウッと締めつけられる。それは省吾のことを思い出したときの苦しくつらいものとは違う。思い通りにならなくてもどかしいような、切ないような……そんな感じだ。

そこまで考えて、蒼生はハッとした。もしかして、という思いが確信へと変わり始める。省吾のことが片づいたせいか、心の中に残っていたしこりのようなものが消えて、代わりに優貴への想いが膨れ上がってきたのだ。

（どうしてこんな気持ちになっちゃったんだろう。彼は私のことは友達だって言ったのに、今さら「好き」なんて言えないよ……）

ついため息をつくと、運転席から優貴がチラッと視線を投げた。

「疲れた？」

「ううん、そんなことないよ。小野塚くんこそ気を遣いっぱなしで疲れたんじゃない？」

「俺が気なんか遣うわけないだろ」

彼の横顔がニヤリと笑った。確かに蒼生には遠慮会釈もないが、省吾や蒼生の母に対しては心を配っていたはずだ。

（小野塚くんってば、普段は辛口なのにときどき優しいからいけないんだよ。だから、そのギャップにやられちゃったんだ）

「もう、やだ」

つい独り言が出てしまい、運転席から怪訝そうな声が聞こえてくる。

「なにがやなの？」

「なんでもない」

蒼生はそっけなく答えた。

（だいたいヤなやつならヤなやつ成分百パーセントでいてくれたらいいのに。ホント腹立つ！　ムカツク～！　ああ、こうやって腹を立ててたら嫌いにならないかなぁ……）

自分の気持ちを優貴のせいにしてどうにか消火しようとしているうちに、車は蒼生のマンションに到着した。来客用駐車場に駐めた車の中で、蒼生は運転席に向き直る。彼の少し甘い顔立ちを見ているうちに、また鼓動が高くなった。

これ以上悩みたくなくて、さっさとお礼を言って帰ってもらおうと、蒼生は大きく息を吸い込んだ。

「今日は本当にありがとう」

「蒼生の役に立てたのならよかった」

優貴がにっこり笑った。その笑みに胸を射貫かれそうで、蒼生は目をそらして手短に言う。

「おかげでいろいろと前に進めそう。それじゃ、また会社で」

蒼生はシートベルトを外してドアハンドルに左手をかけたが、右腕に優貴の手が触れてビクッと肩を震わせた。

「な、なに？」

「さっきから挙動不審」

「え」

蒼生は優貴の手から顔へと視線を動かした。

「蒼生って意外と独り言多いの、知ってる？」

「えっ」

なにを聞かれたんだろうか、と蒼生は青ざめた。

「俺のこと、意識してるんだろ？」

優貴にニヤリとされて、蒼生の顔は今度は赤くなる。

「だって、あんなふうに人前でキスされたら、意識しない方が変だよ」

「じゃあ、もっと俺のことを意識してもらおうかな」

優貴が左手を伸ばして蒼生の右頬に触れた。

「やだ、やめて」

蒼生は彼の手から逃れようとドアに身を寄せたが、逆に逃げ場を失ってしまった。

「やめない」

優貴の左手が蒼生の頬を滑り、顎をクイッと持ち上げる。

「蒼生にはもっと俺を意識してほしい」

「な、なに言ってるのよ！　小野塚くんは私を見てても『ムラムラじゃなくてイライラしか感じない』って言ってくせに、なんでそんな……」

「俺だってそう思ってたんだ。それなのに、すっげー腹が立つ」

「え？」

優貴がギュッと眉を寄せた。怒っているようにも見えるし、悩んでいるようにも見える。

「ずぼらだしおおざっぱだし、頭では恋愛対象外だって思ってたのに、蒼生のことを知れば知るほど、なんでだか気になって仕方がないんだ。無防備な蒼生を見るたびに、ほっとけなくなる。守ってやりたいって思う」

「なんで……そんなことを言うの？」

優貴は蒼生を熱っぽく見つめて答える。

「蒼生が欲しいからだよ」

「そう言えば私が簡単に落ちると思ったの？」

「まさか。簡単じゃないってわかってるからこそ、行きがかり上でもいいから恋人関係になった。偽の婚約者にもなった。そのくらい必死なのに」

蒼生は彼の熱い眼差しから逃れようと、顔を背けた。

「嘘ばっかり。本当は私のこと、簡単な女だって思ってるくせに。優しい言葉をかければ、すぐに落ちると思ってるんでしょ？」

「どうしてそんなふうに思うんだよ。俺がいつそんなことを言った？」

優貴の口調がいら立たしげになり、蒼生は横目で彼を見た。

「だって、『友達だなんて言っておきながら、俺のキスに感じてる』って言ったじゃない」

「あれは！　こんなに俺とのキスに感じてるなら、もう友達でなんかいられないだろって意味だ」

「え？」

蒼生は優貴の顔をまじまじと見た。彼はただ真剣に、強くまっすぐに蒼生を見つめている。

「ホントに……？」

「ホントだ。俺は本気だったのに、蒼生が泣くから、俺は蒼生が俺とは友達以上の関係になりたくないんだと思って、へこんで後悔して、謝りに来たんだ」

「じゃあ、小野塚くんは本当に本気で……私なんかのことを……？」

「蒼生なんかじゃない。蒼生だから好きなんだ」

彼に言われて、蒼生の頬が赤く染まった。思わずうつむいて左手で口元を覆う。

「どうしよう……」

「それって困ってるの？」

「え、違う」

蒼生が顔を上げると、左手首を優貴にやんわりと摑まれ下ろされた。

「じゃあ、俺を意識してるんだ」

意地悪くささやかれ、蒼生の頬がますます赤くなる。

「……してる……」

「じゃあ、もっと意識して。俺を感じて」

蒼生はゆっくりとうなずいた。優貴が顔を傾け、蒼生の唇に口づけた。優しく甘いキスは、すぐに濃く深いものに変わる。

「小野塚くん……」

彼と気持ちが通い合ったことが嬉しくて、蒼生は彼の名前を呼んだ。唇の隙間から彼の舌が差し込まれ、誘うように舌先に触れる。舌を絡めると、軽く吸われて甘く歯を立てられ、背筋がゾクリと震えた。思わず優貴のジャケットの袖をキュッと握る。

「蒼生……」

優貴は熱い吐息をこぼし、唇を離した。蒼生の頬を両手で包み込み、彼女の額に自分の額を軽く当てた。

「友達とじゃ、こんなふうに蕩けそうなキスなんかできないだろ」

「ホント……」

蒼生は熱に浮かされたみたいに、ぼんやりと優貴を見た。彼は蒼生の髪を梳くようにしながら手を後頭部に回した。

「もっと……蒼生を感じたい」

優貴は蒼生を引き寄せ、頬に口づける。彼の唇が耳たぶへと移動して、蒼生は小さく息を呑んだ。柔らかなところを食んだ彼の唇は、首筋へと下り、チュッと音を立てながら、ブラウスの襟元から覗く鎖骨へとキスを落とした。

「蒼生の部屋に行きたい」

優貴は蒼生の腰に両腕を回して彼の方へと引き寄せ、ブラウスの上から胸の膨らみに頬を寄せた。

上目遣いで見つめられて、色気のあるその表情に蒼生は小さく喉を鳴らした。

「う……ん」

「ホントは部屋まで待てないんだけどな」

優貴が名残惜しそうに蒼生のブラウスの上から胸の膨らみを食んだ。

「私だって……待てないよ」

蒼生の喉からかすれた声が漏れた。もう一度唇を触れ合わせて、車から降りる。どちらともなく手をつないでエントランスに入った。エレベーターで上がる時間すらもどかしく、部屋に入ったとたん唇を重ねた。薄闇の中、靴を脱いで狭い廊下をもつれるようにしながら抜ける。

「蒼生」

優貴は蒼生をベッドに押し倒し、唇に性急にキスを落とす。

「好きだ」

耳元で優貴に低い声でささやかれ、蒼生は嬉しくて胸が震えた。

「私も……」

答えた直後、優貴が耳たぶに唇を押し当てて、軽く歯を立てた。

「あっ……」

蒼生は小さく声を上げて首をすくめた。その首筋に唇が触れ、軽く吸われる。その間にも、彼の手がブラウスの上から胸へと下りてきて、ゆっくりと撫でた。包み込むようにしながらやわやわと揉まれて、ブラジャーの下で頂が芯を持ち始める。それを服の上から指先で押し潰され、蒼生は焦れったい思いで息を吐いた。

「小野塚……くん」

「いいかげん名前で呼べよ」

優貴が少し怒ったような声で言って、蒼生の耳たぶに舌を這わせる。

「ひゃ」

「焦らしすぎ」

「だ……って」

耳たぶを味わうように舐められ、優しく嚙まれて、蒼生の首筋が粟立った。

「んっ……や……」

今度は首筋を吸われて、彼の名前を呼ぶどころではない。

「いじ……わる」

優貴がふっと息を吐き、蒼生は腰が砕けそうになった。

「蒼生、好きだよ」

優貴は蒼生の唇にキスをしながら、ブラウスのボタンに手をかけた。一つずつ外して前を広げ、キャミソールの下から手を入れてブラジャーの背中のホックを外す。浮き上がった下着を押し上げるようにして、柔らかな膨らみを包み込んだ。すでに立ち上がっていた尖りを指の腹でつままれ、蒼生はビクリと震えた。

「……あっ」

彼の唇が離れたかと思ったら、キャミソールとブラジャーをたくし上げられ、露わになった膨らみに口づけられた。温かく濡れた舌が肌の上を這い、胸の先端を柔らかな唇に含まれる。

「あぁっ」

チュッと強く吸い上げられ、舌で嬲られて、体の中で甘い熱が波のように盛り上がっていく。呼吸が荒くなって、蒼生は手を口に当てた。

ゆっくり優貴に抱き寄せられ、彼の手がフレアスカートの下に忍び込み、ショーツの上から一番敏感な箇所に触れられて、蒼生の腰が跳ねた。

「やぁっ、ダメ……」

「そう言いつつ感じてる」

蒼生は恥ずかしくなって、潤んだ目で優貴を軽く睨んだ。彼は熱を孕んだ瞳で蒼生を見下ろしている。

「俺だから感じてるんだろ？」

射貫くような鋭い眼差しに、胸が苦しいくらいドキドキして、蒼生は小さくうなずいた。

優貴の指がショーツの脇から差し込まれ、割れ目の前後を焦らすようにゆっくりとなぞった。感じるところに触れそうで触れない。そんなもどかしい刺激に下腹部が熱を持ち、ねだるように蜜が溢れる。

「こんなに濡れてる」

わざと淫らな水音を立てられ、羞恥《しゅうち》で蒼生の頬が熱くなった。

「言……わないで」

「どうして？　俺のせいで蒼生がこうなってるんだから、俺は嬉しいんだけどな」

優貴が不敵に笑った。悔しいけれど、彼の言う通りだ。彼の体温を感じるたび、彼の指先に触れられるたび、彼に口づけられるたび、蒼生の中は彼を求めてはしたなく蜜を滴らせる。

（私ばっかり……こんな……）

荒く息を吐いたとき、彼の長い指が熱く潤ったクレバスからゆっくりと差し込まれた。

「っ」

指とはいえ、六年ぶりの出来事に、蒼生は小さく息を呑んだ。けれど、探るようにじっくりと中を撫でられ、蒼生の体はそれを喜ぶように小さく震えた。

丹念に中を探っていた指先にある一点をこすられ、頭の芯まで響くような刺激に蒼生の体が跳ね上がる。

「や、あぁっ……そこっ……ダメぇ」

「ふーん、ここがいいんだ」

彼が意地悪くささやき、胸の膨らみに唇で触れた。先端を口に含まれ、甘く噛まれて、淡い快感が込み上げてくる。

「はあっ……ん……ああ……」

中で蠢く指が二本に増やされた。押し広げられるようにゆっくりと抜き差しされ、暴かれたばかりの蒼生の弱点が強弱をつけて刺激される。

「やん……ああっ……ダメ……」

胸も中も同時に愛撫されて、体の中で快感が渦巻くように高まっていく。蒼生が体を強ばらせたのに気づいて、中でしなやかに蠢く指の動きがリズミカルになる。

「ああっ……やあっ……もう……ダメ……」

蒼生は途切れ途切れにつぶやいた。彼女を追い詰めるように、彼の親指が疼いていた花芯に触れる。

「あ、あぁーっ！」

たまっていた熱い疼きが一瞬にしてはぜ、あっという間に絶頂に押し上げられた。蒼生は無我夢中で優貴にしがみつき、快感に打ち震える体を彼に押しつける。

はぁはぁと荒い呼吸を繰り返しているうちに、蒼生の震えが治まり、優貴がそっと指を引き抜いた。

「あ……んぅ……」

それさえ刺激的で、蒼生の口から甘い吐息が漏れた。荒い呼吸のまま潤んだ目で見上げると、優貴がふっと笑みをこぼした。その表情はゾクッとするほど野性的で色っぽい。

「蒼生は俺のものだからな」

彼が言って、蒼生の胸元に唇を押しつけた。チリッとした刺激とともに、小さな紅い痕を残す。そうして柔らかな胸にいくつか花を咲かせたあと、力の抜けたままの蒼生から、中途半端に引っかかっているブラウスとキャミソール、ブラジャーを脱がせ、乱れていたスカートもショーツもはぎ取った。

そうして自分の服を脱ぎ、蒼生に覆いかぶさる。

「蒼生、好きだよ」

優貴が艶っぽく微笑みながら蒼生に口づけた。彼の舌に口の中をまさぐられ、蒼生は夢中で彼のキスに応えた。その間にも熱く硬いものが割れ目に触れ、ゆっくりと押し込まれる。

「あ……んんっ」

蒼生は優貴の腕をギュッと掴んだ。中はすっかり蕩けていて、押し入ってくる彼自身を飲み込むように受け入れた。それを悦ぶように中がキュウッと収縮するのが自分でもわかる。

「蒼生……っ」

優貴が悩ましげに眉を寄せて蒼生を見下ろした。自分が彼にそんな顔をさせているのかと思うと、嬉しいとすら思ってしまう。

「優貴」

初めて名前で彼を呼ぶと、優貴は苦しげに目を細めた。

「今……その顔で呼ぶなんて……反則だ」

「私で……感じてくれてるんだ」

愛しさが込み上げてきて蒼生は胸が熱くなった。

「生意気」

優貴がそう言って腰を引いたかと思うと、中をこすり上げるようにぐっと突き上げた。

ビリビリとした刺激が背筋を駆け上がり、蒼生の口から恥ずかしいほど大きな声が漏れる。

「あぁんっ、やあっ」

「蒼生……」

大好きな人に名前を呼ばれ、何度も何度も突き上げられ、蒼生は喘ぐような声を漏らす。

「んんっ……はぁ……優貴っ……ダメ、激しっ……」

荒々しくかき乱され、淫らな水音を立てながら繰り返し奥を穿《うが》たれる。ベッドが軋むほど激しく揺さぶられ、蒼生の中で再び快感がはぜそうに膨れあがる。

「はぁっ……も、ダメ……」

「あお、い……」

優貴が端正な顔を悩ましげに歪めて、大きく突き上げた。最奥までいっぱいに彼で埋め尽くされる。

「あ、はあっ、あぁぁーっ」

その刹那、蒼生の背筋から頭の先まで、電流のように激しい快感が駆け抜け、蒼生は自分だけが溺れまいと、彼の腰に両脚を絡めた。

「蒼生っ……」

直後に絶頂を迎えた彼が、蒼生の名を呼びながら彼女をかき抱いた。蒼生の柔らかな胸に彼の逞しい胸板が押しつけられ、快感の余韻を貪るように互いの唇を奪い合う。

「優貴……」

新しい恋に踏み出せたこと、そしてその恋が成就したことに、蒼生はただ胸が震えて、目頭を熱くしながら彼にしがみついた。

第十三章　過去を知る男

それから一週間後の月曜日。その日の朝も、蒼生は優貴の腕の中で目を覚ました。金曜日の夜、優貴が仕事のあとで蒼生の部屋に来て、濃密な週末を過ごしたのだ。行きがかり上の関係を本物の恋人関係に進めてから一週間が過ぎたが、彼への気持ちは膨れ上がるばかりだ。目の前に彼の寝顔があって、どうしようもなく幸せな気持ちになる。

額に乱れてかかる柔らかそうな前髪、目元に影を落とす長いまつげ、すっと通った鼻筋、やや薄めの唇。見つめていると愛おしさが込み上げてきて、あちこちに口づけたい衝動に駆られる。

(優貴にはいつもキスマークをつけられてるし)

チラッと胸元に視線を落としたら、小さな紅い花がいくつも散らされていた。私だって同じことを……と体を起こしかけて、やめた。

(ダメダメ、こんなに気持ちよさそうに寝てるのに)

蒼生は目だけを動かして、カーテンの方を見た。ライトグリーンのカーテンを通して、ほんのりと明かりが差し込んでいる。視線をテレビ台の下のＤＶＤプレイヤーに移すと、五時五十分とデジタルで表示されていた。

昨日一昨日はカフェに行ってブランチを食べたが、今日は出社日だ。それなら私が朝食を作ったらどうだろうか。そんな恋人らしいことを思いついて楽しくなってきた。

優貴を起こさないよう、そっと彼の腕の中から抜け出した。ジャージ素材のペールピンクのルームウェアを着て、物音を立てないようにしながらキッチンに向かった。だが、冷蔵庫を開けて、呆然とする。

「な、なにもない……っ！　冷蔵庫が空っぽなんて女子力低すぎじゃないのっ」

優貴に幻滅されたらどうしよう、と思いながら、冷凍庫を開けた。お気に入りのブーランジェリーのクロワッサンを大量に買って冷凍していたはずだが、いつの間にか残り二つになっている。あとは冷凍食品が二袋あるだけだ。

ネットスーパーでいつでも頼めると油断して、ぜんぜん買い物に行ってなかった。

コンビニになにか買いに行こう、と思ったとき、「おはよう」と声がして、後ろからふわりと抱きしめられた。

「わ」

蒼生はギョッとして、冷凍庫の扉を勢いよく閉めた。優貴が笑みを含んだ声で言う。

「なにをそんなに驚いてるの？」

「べ、べべ別になんでもないよっ」

優貴が蒼生の頬にチュッとキスをした。蒼生が彼の頬に手を触れさせた隙に、優貴が冷凍庫を開け、蒼生は大きな声を上げる。

「あぁぁっ」

「なるほど。空っぽなのを見られたくなかったってことか」

優貴がクスリと笑った。

「か、空っぽじゃないってば！　冷凍のクロワッサンとオムレツとミックスベジタブルが入ってるし！」

蒼生は必死で言い訳をした。優貴は笑顔のまま冷凍庫を閉める。

「蒼生、シャワー浴びてくる？」

「どうして？」

突然話題を変えられて、蒼生はきょとんと彼を見た。

「朝食を作ってあげる」

「えっ？　なにもないのに？」

「なにもないことはないだろ。任せとけって」

優貴に背中を押され、蒼生は半信半疑のままバスルームに向かった。シャワーを浴びてライトブルーのブラウスとネイビーのプリーツスカートに着替えてメイクをし、出社できる格好でキッチンに戻った。

「シャワー、お先……」

でした、と言いかけて、ローテーブルの上を見た蒼生は言葉を失った。大皿の上に焼いたクロワッサンが半分に切ってのせられ、そこにオムレツを崩してミックスベジタブルと合わせて温めたものがのせられていたのだ。

「な、なにこれ」

蒼生は皿の上の料理をまじまじと見た。

「なにこれって一応食べ物だよ。ひとり暮らし歴は七年だから、それなりに食べられると思うんだけど」

「そうじゃなくて、クロワッサンが別の食べ物になってるし！　おしゃれすぎるっ」

優貴が照れの混じった口調で言う。

「そんなに驚くことかな〜。カフェでこういうのよくあるだろ？　真似して作ってみただけだよ」

「でも、私はこんなの思いつかない。すごいわ……」

蒼生は小さく首を横に振りながら、感嘆のため息をついた。

「惚れ直した？」

「もちろん」

蒼生は優貴の首に両腕を絡めて、チュッと口づけた。優貴が蒼生の腰に両手を回して、キスを続ける。キスが熱を帯びてきて、蒼生は背を反らせた。本当ならこのまま続きをしたいところだけど……。

「食べないと会社に遅れちゃう」

「だよなぁ……」

優貴は名残惜しそうにもう一度蒼生にキスをして、彼女の腰から手を離した。本当はまだ蒼生と一緒にいたい。そう言いたげな、満たされているのに少し物足りなさそうな彼の表情が嬉しくて、蒼生は頬を緩めた。

(このままこの幸せがずっと続きますように)

蒼生は優貴がコーヒーを注ぐのを見ながら、心の中で祈るようにつぶやいた。

そうして優貴手作りの朝食を食べたあと、彼は車でいったん自分の家に戻った。次に会うのは二時間後、オフィスでだ。

幸せな気持ちで歩いているところに炊き立てご飯の匂いがしてきて、蒼生は駅の近くに〝おにぎり専門店〟と書かれた看板を見つけた。三畳もないような小さな店舗で、オーソドックスな梅や鮭から、肉みそ、チーズたらこなどの変わり種まで、さまざまなおにぎりが売られている。

(なんで今まで気づかなかったんだろう……)

蒼生は梅とツナマヨ、肉巻きのおにぎりと天むすを買って、ほくほくしながら出社した。だが、開いているドアから一歩調査管理部に足を踏み入れて、ピタリと立ち止まった。蒼生のデスクに見知らぬ男性が座っているのだ。ストライプのワイシャツにネイビーのスラックス姿のその人は、パソコンのモニタを見ながらキーボードをいじっている。

（なんでこの人、私の席に座ってるの？　私、まさかクビになったの⁉）

解雇されるようなことはなにもしていないつもりだったのに、と不安でドキドキしながら、蒼生はデスクに近づいた。

「あのぅ……」

おずおずと声をかけると、男性が顔を上げた。三十代後半の生真面目そうな男性の顔を見て、蒼生は心臓が止まりそうなほど驚いた。

「勝浦……さん？」

その男、勝浦亨は蒼生を見て笑顔になった。

「やっぱり山本さんだった。このパソコンを購入するときに山本さんの名前を見て、もしかしてって思ってたんだ」

永宮秀次の同期だった彼は、今は三十六歳のはずだ。朗らかで明るい秀次とは対照的に、亨は落ち着いた印象だった。蒼生自身も、ビジネスソリューション部の彼とはあまり接点がなく、秀次の同期であるということぐらいしか知らなかった。

（なんで……勝浦さんがここに）

亨の笑顔は純粋に蒼生と再会できたことを喜んでいるように思えたが、彼にそんな笑顔を向けられていることが蒼生には信じられなかった。得体の知れない不安が込み上げてくる。だが、亨は蒼生の様子を気に留めることなく、笑顔を大きくした。

「二年前にこの会社に転職したんだ。でも、まさか山本さんとこんなところで会うなんて。すごい偶然だね」

「あ、ホント、ですね……」

蒼生はかろうじて言葉を発した。

『彼氏に裏切られてる女なら、優しい言葉をかければ簡単に落とせるって。亨も声かけてみろよ。蒼生って股開くの早いから』

蒼生の耳に、秀次が亨に言った言葉が蘇り、鼓動が乱れて背中に嫌な汗がにじむ。

「山本さん、勝浦さんとも知り合いだったんですか？　小野塚さんに続いて、世の中ってホントに狭いですねぇ」

里穂がひょいと話に入ってきた。蒼生が口を開くより早く、亨が言う。

「そう。前の会社で一緒だったんだ。山本さんが辞めてからだから六年ぶりかなぁ。ね、山本さん」

彼に気さくな調子で声をかけられ、蒼生は黙ったままうなずいた。亨があまりににこやかなので、面食らってしまう。

六年前、秀次の言葉を聞いてあの場から逃げ出してしまったから、そのあと亨がどんな反応をしていたのかはわからない。だが、今の亨の様子を見る限り、彼は蒼生のことを軽蔑していないように思える。それとも、あの頃も今も彼にとって蒼生はどうでもいい存在だから興味がないのだろうか。そうでありますように、と心の中で祈ったとき、亨が「あ、そうだ」と言って、胸ポケットから革製の名刺入れを取り出した。

「これ、僕の携帯番号も載ってるし、渡しておくよ」

「え」

なんのために、と思う蒼生の手のひらに、亨が名刺を押しつけるので、蒼生は仕方なく受け取った。

「山本さんの名刺はもらえないのかな？」

亨に言われて、蒼生は在宅翻訳者としての名刺を持っていたが、嘘をつく。

「ごめんなさい、勤務は一ヵ月だから名刺はなくて……」

「そう、残念だな。じゃあ、山本さんから連絡してくれる？」

（なんのために？）

蒼生は怪訝な表情で亨を見た。

「またこうして会えたんだし、仲良くできたらなって思ったんだ」

彼の笑顔に他意は感じられなかった。

「あ、あの、なにか用事があれば……」

蒼生は小さな声で曖昧に答えた。亨がデスクのパソコンに視線を送って言う。

「小野塚さんに設定を直すように頼まれてたんだけど、研修や出張があって今日になって申し訳ない。ＢＩＯＳ《バイオス》の設定をいじってドライブの起動順位を変えておいたから、もうＣＤ-Ｒを入れっぱなしにしててもちゃんと起動するようになったよ」

「あ、はい……」

突然話を変えられて、蒼生は戸惑ったままその場に立っていた。亨は立ち上がって優貴を見た。

「山本さんとは前の会社で一緒だったんですよ」

「そうですか」

優貴は関心なさそうに言った。

「山本さんのことはいろいろと知ってますよ」

亨が意味ありげに笑い、優貴がわずかに眉を寄せる。不穏な雰囲気を感じ取って、蒼生は慌てて口を開く。

「か、勝浦さん、ありがとうございました！」

「このくらいなんでもない。山本さんとまた会えて嬉しいよ。それじゃ、連絡してね」

亨はそう言って調査管理部を出て行った。残された蒼生は嬉しいとは正反対の気分だった。その場にくずおれそうになるのを、デスクに摑まってどうにかこらえた。ゆっくり腰をかがめて、バッグを一番下の引き出しに入れる。

コーヒーでも飲んで気持ちを落ち着かせようと給湯室に向かった。コーヒーブリューワーのポットから、自分のマグカップにコーヒーを注いで、大きく息を吐く。

（前の会社の人とこんなところで会うなんて思わなかったな……。それも、よりによって勝浦さんと……）

背後でこつん、と靴音がした。ビクッとして振り返ると、入り口に優貴が立っている。

「勝浦さんとはどういう知り合い？」

優貴が給湯室に足を踏み入れながら、単刀直入に言った。蒼生はまだ動揺が収まらず、それを悟られないよう目を合わせないで答える。

「前の会社で一緒だっただけ」

「それだけにしては、勝浦さん、かなり思わせぶりだったけど」

優貴は手を伸ばして自分のマグカップを取り、蒼生を背後から抱くようにして、ポットからコーヒーを注ぐ。体の距離は近いのに、探るような言葉は遠くに感じる。

「付き合ってたの？」

優貴に訊かれて、蒼生は無言で首を横に振った。蒼生と亨との関係は単純なものだ。前の会社のただの同僚。けれど、自分がこれだけ動揺している理由を説明することはできない。省吾との失恋を忘れたくて、亨の同期の秀次と寝ていたなんて、とてもじゃないが優貴にできるような話ではない。

蒼生はわざと明るい声を出す。

「勝浦さんは前の会社のビジネスソリューション部に所属してたの。私は総務部だったから、交通費を精算したり年末調整のときに必要な書類をもらったりするくらいしか、接点はなかったんだけど」

「ホントにそれだけ？」

背後から優貴に顔を覗き込まれて、蒼生はさりげなく視線を自分の手の中のマグカップに落とした。

「うん、勝浦さんとは付き合ってない」

そう言ってカップを口元に運び、熱いコーヒーを一口飲む。

大切な人に隠し事はしたくない。けれど、幻滅されるのはもっと嫌だ。

(訊かれたのは勝浦さんのことだから……永宮さんのことはわざわざ言わなくてもいい、よね……)

蒼生は自分を納得させるように心の中でつぶやた。

「ふーん」

けれど、優貴の方は納得していないようだ。彼の声は腑に落ちないと言いたげだった。

蒼生は不安な気持ちになり、熱いマグカップを両手で握りしめて振り向いた。優貴の目を見ることができず、彼のブルー系のストライプ柄ネクタイを見ながら言う。

「か、過去になにかあっても、私が今好きなのは優貴だけだから」

こんな言い方で信じてもらえるだろうか。蒼生はおずおずと視線を上げた。目が合って、優貴がホッとしたように微笑む。

「やっと俺を見てくれた」

そうして蒼生の唇に軽くキスを落とした。

「蒼生がそう言うなら、誰がなんと言おうと俺は蒼生を信じるよ」

優貴の言葉に蒼生は胸がじぃんと熱くなった。だが、亨がこの会社にいるのだと思うと、胸に巣食う不安は完全には消えなかった。蒼生の表情に不安を読み取ったのか、優貴が強い口調で言う。

「なにかあったら絶対に俺に言うんだぞ」

なにもないよ、とは言えなかった。優貴がそう思っていないのは、今の彼の言葉から明らかだ。

「わかった」

「約束だ。蒼生のことは俺が守る」

「……ありがとう」

蒼生は胸がいっぱいになって、礼を言うのがやっとだった。

「落ち着いたら戻っておいで」

蒼生がうなずいたのを見て、優貴は蒼生の頰に軽く触れてから、給湯室を出て行った。

蒼生はキスの感触が残る唇にそっと指先で触れた。深く追求しないで蒼生のことを支えようとしてくれる彼の気持ちに、目頭が熱くなる。涙がこぼれそうになって壁の方を向き、すんと鼻を鳴らしたとき、背後でまた足音がした。

「どうしたの？」

優貴が戻ってきたのかと思って振り返ったが、亨が立っていたのでギョッとした。

「仲いいんだ」

亨がニヤッと笑った。その陰気な笑みを見て、蒼生は背筋が寒くなった。優貴とキスしているところを見られたか、あるいは会話を聞かれたのかもしれない。一気に不安が膨れ上がったが、それを悟られないよう、平静を装う。

「失礼します」

蒼生は給湯室から出ようとしたが、亨がぬっと手を伸ばして行く手を塞いだ。

「なんですか」

蒼生はマグカップを持ったまま身構えた。

「ちょっと話をしたいと思ったんだ」

「もうすぐ始業時間ですよ。それに、お話しすることはなにも――」

蒼生の言葉を遮って亨が言う。

「小野塚くんは永宮のこと、知ってるのかな?」

「お、小野塚くんが永宮さんのことを知っていようがいまいが、勝浦さんには関係ないと思います」

亨がニヤリとした。

「その口ぶりじゃ、彼には内緒にしてるんだ。キミの気持ちは理解できるよ。だって、かつて僕の友人のセフレだったなんて、彼には知られたくないよね」

「永宮さんとはそんなんじゃありません」

秀次とはセフレのつもりで寝ていたわけではない。

亨が左手を腰に当て、おもしろがるような表情で言う。

「へえ。じゃあ、あの頃、キミは永宮のことが好きだった？」

蒼生は下唇をギュッと噛みしめた。傷心なんて簡単な言葉では言い表せないほど、蒼生の心はボロボロだった。その蒼生に秀次は優しい言葉をかけてくれた。

『蒼生のこと、いつもかわいいなって思って見てたんだ』

『俺が蒼生を癒やしてあげたい』

それまで秀次とほとんど接点がなかったのだから、彼が本気で蒼生に対してそう思ってくれているとは、蒼生自身、完全には信じていなかった。それでも、省吾のことを忘れさせてくれるなら、このまま秀次に溺れたいと思っていた。蒼生を抱いているときの秀次はとても優しかったから。

「好きになりたいと思ってました」

蒼生の答えを聞いて、亨が「へぇ」と嘲りの混じった声を漏らした。

「うまいこと言うね。体から始まる関係ってやつか。それじゃ、どうして急に会社を辞めたんだ？」

「それは勝浦さんもご存じだと思いますけど。六年前の七月のお給料日に、永宮さんと勝浦さんが自動販売機コーナーで話しているのを聞いてしまったんです」

「それって……キミが辞める前の月の話か」

亨は記憶をたぐるように目を細めてから、「ああ」と言った。

「永宮が僕にも山本さんを誘ってみろ、とけしかけたやつだな。まさかキミ、僕に口説かれるのが嫌で辞めたのか?」

「違います。そんなんじゃないです」

どうにか話題を終わらせてくれないだろうか、と蒼生は亨を見上げた。目が合って、彼がにっこり微笑む。

「それなら一度ゆっくり話をしないか? そうしたらお互い、いろいろ理解を深められるんじゃないかな」

「理解?」

「そう。僕がキミのことをちゃんと理解できれば、思い込みでものを言ったりしなくてすむと思うんだ。たとえば口の軽い原口さんに、キミがかつて僕の友達のセフレだったなんて——」

「勝浦さん!」

蒼生は彼の言葉を遮った。それ以上のことを会社で言わないでほしい。

「ほらね、こういう場所でできる話じゃないでしょ。だから、改めて話をしようって言ってるんだ」

亨は笑みを消し、目を細めて蒼生を見た。その目つきに蒼生は寒気を覚える。

「それは……私を脅してるんですか?」

「脅すなんて人聞きの悪い。僕はただ、六年ぶりに会ったキミと旧交を温めたいだけ」

「なにが目的なんですか?」

蒼生は警戒しながら低い声で言った。

「その険しい表情は山本さんらしくないな。笑った方がいいよ。そんな顔してたら、なにかあったんだって小野塚くんに勘ぐられる。それじゃ、またね」

亨が給湯室から出て行き、蒼生の肩から力が抜けた。知らない間にマグカップを握りしめていて、力のこもった指先が痛い。

（勝浦さんはいったいなにを考えてるの……？）

秀次とのことをネタに蒼生を脅しているようにも思えるが、『旧交を温めたいだけ』だと言っていた。亨の出方を待つしかない。

それに、もう就業時間になっているはずだ。蒼生は急いで調査管理部に戻った。ドアから入ると優貴の心配そうな視線を感じ、蒼生は笑顔を作って小さく会釈をした。

席に着いて仕事に集中しようとしたが、亨の言葉が気になってしまう。

（私と会ってどうするの？　本当に話をするだけ？　それともお金とか要求されるんだろうか……？）

秀次のような社交的で明るいイケメンが近くにいたら、ほかの男性はかすんでしまいがちだ。それもあって、蒼生は亨のことをほとんど気に留めていなかった。だが、その亨は今同じ会社にいて、蒼生がここで築いた信頼関係を脅かそうとしている。

蒼生は不安で乱れる気持ちをどうにか切り替えようと、清涼タブレットをいくつも口に放り込んだ。口の中に刺激的な味が広がったが、あまりすっきりとはしない。意識を無理矢理モニタに向け、辞書ソフトを立ち上げたとき、由季子が蒼生の席に近づいてきた。

「おはよう、山本さん」

「あ、福盛さん、おはようございます」

「先週、山本さんが指摘してくれた箇所なんだけど……」

由季子の言葉を聞き、蒼生はアイコンをクリックして、ベトナムのプロジェクトの報告書を開いた。ワードファイルをスクロールして、問題のグラフのあるページを表示させる。

「そうそう、ここ。本文の数字が合わないところ、やっぱり研究者の計算ミスだったわ」

「そうだったんですね」

先週、本文を訳しているときに、数値が合わないことに気づき、グラフを元に計算し直した。そうして報告書作成者の計算ミスの可能性があることを由季子に報告し、確認をお願いしていたのだ。

「気づいてくれてありがとう。今朝、感謝のメールが来てたわ」

「よかったです」

翻訳をしているとたまにそういうことがあるので、クライアントに直接問い合わせるか、仕事を仲介している翻訳会社に問い合わせを頼むことがある。問い合わせができない場合は、コメントをつけてそのままにするのだが。

「最終的には補助金をもらうために政府に提出する書類だし、間違いがあってはいけないものね。藤原さんのことも業務のことも心配してたんだけど、山本さんが来てくれて業務の心配は解消されたわ。ホントによかった」

　由季子の言葉に蒼生はこそばゆい気持ちになった。誰かに必要とされること、誰かに認められること。それを目的に仕事をしているわけではないが、丁寧に積み上げた実績が自分の信頼を作ってくれているのだと思うと嬉しくなる。

　だが、それを脅かしかねない亭の存在を思い出し、蒼生は胃が痛くなるような不安を覚えるのだった。


　ランチタイムになり、蒼生は午前中に訳した文章をパソコンのファイルに保存した。辞書ソフトを閉じているところに、優貴が歩み寄ってくる。

「昼飯食いに行く？」

「あ、ごめんなさい、来るときに買って来ちゃった。駅前にすごくおいしそうなおにぎり専門店を見つけて」

「ああ、何度か買ったことあるけど、結構うまいんだ」

「四つ買ったから、半分ずつ食べない？」

　蒼生が言うと、優貴は「うーん」と声を出した。

「俺の場合、おにぎり二つじゃ夜までもたない」

「あー、そっか」

　男の人はカロリー消費量が多いからだろう、と蒼生は思った。

「俺もなにか買ってくるよ。ほかに食べたいものある？」

「んー……。特には」

せっかく訊いてくれたが、正直なところ、亨のことが気になってあまり食欲が湧かない。

「わかった。先に食べ始めてていいよ」

優貴が言って、ドアから出ていった。隣の席でバッグから財布を取り出していた里穂が、ニーッと笑いながら話しかける。

「いいなぁ、社内恋愛。原口さんがうらやましがって……というか腹いせかもしれませんけど……山本さんと小野塚さんのことを社内中にしゃべっちゃったみたいですよ。でも、おふたりの様子じゃ、どんな障害も乗り越えられそうですよね」

どんな障害も……。

今の蒼生にその言葉はとても皮肉に聞こえた。蒼生が曖昧に微笑んだのを照れ笑いだと受け取って、里穂が笑う。

「ラブラブですね。私は今日も福盛さんと外食です。山本さんもよかったらときどき一緒に食べに行きませんか？　小野塚さんが外出予定の日とかに」

「ありがとうございます」

蒼生は里穂の屈託のない笑顔を見ながら、もし彼女が私の過去を知ったら、そんなふうに笑いかけてくれなくなるのだろうか、と考えて胸が痛くなった。

里穂や由季子に続いてほかの社員も部屋を出て行き、オフィスには蒼生ひとりになった。この会社に派遣されてから、誰もいないことに今日ほど安堵を覚えたことはない。

（まさか勝浦さんがこの会社に転職してたなんて……）

蒼生がおにぎりの入った袋をデスクの上に置いたとき、ドアが小さくノックされた。顔を上げると、開いているドアの横に当の亨が立っている。

「一緒にランチをどうかなと思って、誘いに来たんだけど、あれ、持ってきてたんだ」

「はい」

「それは残念だな。じゃあ、今日、一緒にディナーに行こう」

「ごめんなさい。無理です」

「どうして？」

亨が怪訝そうに言った。その他意のなさそうな表情に、蒼生はますます亨の真意がわからなくなる。

「だって、私、小野塚くんと付き合ってるんですよ。ほかの男性とふたりきりで食事になんて行けません」

亨が近づいてきたかと思うと、蒼生のデスクに右手を叩きつけた。大きな音がして、蒼生はビクッとなる。亨が愛想のいい笑みを浮かべていて、それが逆に気味悪い。

「じゃあ、今ここでキミと永宮の話をしようか。小野塚くんやほかの誰かが戻ってくるかもしれないけど」

「それは……っ」

「じゃあ、今からどこかへ食べに行く？」

蒼生は唇を引き結んだ。里穂たちはまだ戻ってこないと思うが、優貴は十分もしないうちに帰ってくるだろう。彼に秀次の話を聞かれたくはない。

「……わかりました」

蒼生はしぶしぶ立ち上がった。

「最初から素直に応じてくれればよかったのに」

亨が不満そうな声でこぼしながら先にオフィスを出た。蒼生は重い足取りで続く。

（途中で優貴に会ったらなんて説明しよう。彼と食事に行くことは断ったのに、勝浦さんと外へ行くのを見られてしまったら……）

蒼生は落ち着かない気持ちでエレベーターに乗り込んだ。幸か不幸か優貴に会うことなく、オフィスビルの外に出た。亨の案内で喫茶店に入ったが、分煙になっていないらしく、タバコの煙がまとわりつく。

「いらっしゃいませ。おふたり様ですか？」

アルバイトらしいウェイトレスが蒼生たちに声をかけた。亨がうなずき、奥のテーブル席に案内された。

亨が席に着いて口を開く。

「僕はカレーライスとホットコーヒーのセットにするけど、山本さんは？」

亨にじっと見られて、蒼生は視線を年季の入ったダークブラウンのテーブルに落とした。

「私は……アイスコーヒーにします」

「食べないの？」

「あまり食欲ないんで」

「そう」

亨は興味なさそうに言って、ウェイトレスに合図をし、ふたり分の注文を伝えた。蒼生は早くここから出たくて話を切り出す。

「お話ってなんですか」

亨はおしぼりで手を拭きながらうっすらと笑う。

「いきなり本題に入るんだね」

「勝浦さんはなにか私に話があるから、わざわざここへ来たんですよね？　だったら、話をしましょう」

亨は「ふん」とおもしろくなさそうな声を出した。

「山本さん、すっかり変わってしまったね。前はもっと天真爛漫な感じだった」

「それは……いろいろありましたから」

蒼生がつぶやいたとき、ウェイトレスが料理を運んできた。亨の前にカレーとホットコーヒーが、蒼生の前にアイスコーヒーが置かれる。

「ご注文の品は以上でしょうか？」

「ああ、ありがとう」

亨の返事を聞いて、ウェイトレスは伝票をテーブルに置き、離れていった。

「僕、ずっと山本さんのことが好きだったんだ」

亨の突然の告白に、蒼生は目を丸くした。今までの流れから、まさかこんなことを言われるとは思ってもみなかったからだ。

「驚いてるよね。わかるよ。入社したばかりの頃のキミは岡崎に夢中だったから」

亨はスプーンを取り上げた。

「食べながら話すよ」

蒼生はまだ驚きから立ち直れず、無言でうなずいた。

亨が続きを話し始める。

「山本さんの入社直後、用事で総務部に行ったとき、一生懸命な笑顔に一目惚れした。幼馴染みの彼氏がいると知ったのはそのあとだった。あの頃のキミは、周りが見ても呆れるくらい、岡崎のことしか考えてなかった。だから、キミの笑顔は僕のものにはならない、とどこかで諦めていたんだ。でも、キミが岡崎と別れて……今度はキミが僕のために笑ってくれるようになるかもしれない、と期待した」

亨がカレーを口に入れた。蒼生は彼が食べるのを黙って見つめる。

「キミがまた明るい笑顔になるのを僕はずっと待ってたんだ。それなのに、仕事が終われば毎晩飲み歩いて、どんどん痩せてやつれて不健康になって……ますます笑わなくなった」

蒼生は苦い気持ちでストローを口に含み、アイスコーヒーを飲んだ。

「キミの天真爛漫な笑顔がまた見たくて、僕はキミが立ち直るのをずっと待ってた。それなのに、キミは今度は永宮に溺れた。あんな女たらしの甘言にまんまと引っかかって、あいつをすがるような目で見るようになった」

当時を思い出すと、恥ずかしさや情けなさなどいろんな感情が押し寄せてきて、蒼生は黙ってうつむいた。

「永宮に『亨も声かけてみろよ。蒼生って股開くの早いから』って言われたときは、キミに幻滅したよ」

「自分でも……過去の私には幻滅しています」

蒼生はうつむいたまま、ストローでグラスの中の氷をつついた。亨はカレーをしばらく食べていたが、やがて手を止めた。

「二週間前、キミをビルの一階で見かけて、またキミに出会えたのは運命だと思った。でもあのとき、小野塚くんがキミと付き合ってるんだって原口さんたちに話しているのを聞いて……どれほどショックだったか」

それは派遣されて二日目のランチタイムでの出来事だ。

「僕はキミへの気持ちをまだ昇華できていない。だから、僕と付き合ってほしい」

「ごめんなさい。勝浦さんの気持ちには応えられません」

蒼生は小さい声で、でもきっぱりと答えた。亨はその言葉を無視するようにカレーを黙々と食べ始めた。沈黙が居心地悪くなり、蒼生はアイスコーヒーを飲む。

亨がホットコーヒーを一口飲んで、おもむろに口を開いた。

「僕は付き合ってほしいとは言ったけど、別にずっとって意味じゃない」

「え？」

「一晩でいい」

「は？」

蒼生は目を見開いて亨を見た。

「永宮とは好きでなくても寝られたんだろ？　だったら、僕とだって寝られるはずだ」

「それは違いますっ。永宮さんは私を救ってくれようとしてたんです」

「キミを抱くための口実だったけどね」

亨の言葉に蒼生は唇を引き結んだ。

確かにその通りだったが、秀次の本心に気づいていなかったときの蒼生は、彼の存在に救いを感じていた。孤独に押しつぶされそうなとき、秀次が蒼生を『好きだ』と言ってくれたことは純粋に嬉しかったのだ。秀次の本当の動機に気がつかなければ、あのまま彼と一緒にいたいと思っていただろう。でも、あのときと今は違う。蒼生には、本当の意味で省吾のことを吹っ切る後押しをしてくれた優貴がいる。そして、その彼のことを誰よりも好きなのだ。

「たった一晩だ。それで、キミと永宮のことは一生口をつぐんでおいてやる」

亨のとんでもない申し出に対し、蒼生は声を絞り出すようにして尋ねる。

「どうして……今さら……私にそんなに執着するんですか？」

「強いて言うなら、ずっとキミを手に入れたかったからかな」

「でも、私には勝浦さんにそこまで思われるほどの価値はないと思います」

蒼生の言葉を聞いて、亨は歪んだ笑みを浮かべた。

「キミの価値なんかもう関係ない。僕のプライドの問題だ。この僕が、秀次に出し抜かれたままでいいはずがない。小野塚くんのこともあるから、僕は一晩でいいって言ってるんだ。ギブ・アンド・テイクだよ。僕はキミを手に入れて満足する。キミは会社での信頼と小野塚くんの愛情をつなぎ止められる。いい話だろ？」

「もし……私がそれはできないってお断りしたら……？」

蒼生はおそるおそる彼を見た。亨がニヤッと笑う。

「そんなことをしたらどうなるか……。再確認したいなら教えてあげるよ。僕は小野塚くんと原口さんにキミと永宮のことを話す。仮に小野塚くんがキミのことを許しても、その頃にはキミは会社中の人間に後ろ指を差されるようになっているだろうね」

蒼生はうつむいて下唇をギュッと嚙みしめた。

優貴以外の男性と肌を重ねるなんて、考えられない。目の前にいるこの男性に抱かれるなど、想像しただけでも鳥肌が立つし、想像すらしたくない。だけど――。

「僕だって鬼じゃない。たった一晩でいいって言ってるんだ。悩むことじゃないだろ？」

亨は含み笑いをして、残っていたカレーをスプーンで集めて口に運んだ。

「ゆっくり考えられるよう、今週の金曜日まで時間をあげるよ。また前みたいに突然辞めるのはナシだ。その場合も、僕は会社のみんなにキミの過去を話す」

亨はコーヒーを飲み干し、伝票を摑んで立ち上がった。

「再会を祝してここは奢ってあげる。金曜午後五時半の退社時間までに考えて、名刺のアドレスに連絡してくれ。この再会はきっと愉快なものになる」

亨は楽しげに声を上げて笑いながら、レジへと向かった。

蒼生は亨と一緒に帰りたくなくて、ゆっくりとアイスコーヒーを飲んだ。コーヒーは氷が溶けて薄くなっていて、少しもおいしくなかった。

「こちら、お下げしてよろしいですか？」

いつまで居座るつもりだ、と不満そうな表情のウェイトレスに空になったグラスを下げられ、蒼生は席を立った。喫茶店を出てとぼとぼとオフィスビルに戻りながら、亨との会話を思い返す。

今、蒼生がなによりも大切にしたいのは、優貴との関係だ。彼を失うことなど考えられない。たった一晩で優貴との関係が、そして会社での居場所が守られるのなら……。そんな恐ろしい考えが脳裏をかすめた。

エレベーターに乗って八階で下り、社員用通用口から中に入った。調査管理部のドアを開けると、優貴がサッと椅子から立ち上がって蒼生に歩み寄る。

「ちょっとこっち」

蒼生の手を取ってオフィスの外へと連れ出した。瑛斗の「おやおや～」というニヤけた声が聞こえてきたが、優貴は構う様子もなく社員用通用口から出て、自動販売機コーナーに向かった。そこには誰もおらず、優貴は蒼生に向き直った。

「小野塚くん、もうすぐランチタイムが終わ――」

蒼生の言葉を遮るように、優貴は蒼生のすぐ横の壁にドンと右手を突いた。彼の険しい表情を見て、蒼生は身をすくませる。

「どこに行ってた？」

「え？」

優貴が蒼生の髪に顔を近づけた。

「タバコの匂いがする。どこに行ってた？」

優貴の険しい眼差しを直視できず、蒼生はふっと視線をそらした。優貴にこんなふうに責められるとは考えてもみなかった。

この場から逃れるために嘘を重ねるか。本当のことを話すか……。

蒼生はゴクリとつばを飲み込んだ。

「か、勝浦さんと……喫茶店に……」

「蒼生は俺と昼飯を食うより、あいつとおしゃべりをする方がよかったんだな」

優貴が壁についていた手をギュッと握るのが見えた。蒼生は焦って口を開く。

「そういうわけじゃなくて……思い出話をしたいからって誘われて……」

「あいつ、やっぱり蒼生に気があるんだ」

蒼生は、違う、とは言えなかった。

「ご、ごめんなさい」

「なんで謝るんだよ」

優貴が不機嫌な声を出した。

「俺よりあいつの方がいいのか？　六年前の男の方が！」

優貴に責められて、蒼生は泣きたくなった。亨のことをいいなんて思ったことは一度もない。けれど、亨とランチに行った本当の理由を話すことはできない。

「ただ一緒にランチに行っただけでそんなふうに言わないで」

蒼生のか細い声を聞いて、優貴は拳に自分の額を押しつけた。そうして大きく息を吐く。

「そうだよな。悪い。帰ってきたら蒼生がいなくて、トイレかなって思ったのにずっと戻ってこなくて……。給湯室にもいないし、電話をしても出ないから、どこかで具合でも悪くなったんだろうかって心配してたんだ。そうしたら……勝浦さんとランチに行ってたって言われて、ついカッとなった」

優貴は体を起こし、蒼生に背を向けた。

「格好悪いヤキモチだ。忘れてくれ」

彼は早足で自動販売機コーナーを出ていく。その背中に抱きつきたい衝動を、蒼生は一生懸命抑えた。

（優貴がこんなにも私のことを想ってくれている……）

それを思うと、苦しいほど胸が締めつけられる。

本当に失いたくないのは優貴なのか、それとも彼の信頼なのか。

蒼生は自動販売機でアイスティーを買って、オフィスに戻った。デスクの上には白い紙袋が置かれている。中を覗くと円筒形のプラスチック容器が入っていた。ラベルに〝十種の野菜とソーセージのコンソメスープ〟と書かれている。

（優貴が買ってきてくれたの……？）

彼のデスクを見ると、優貴は険しい表情でビジネスバッグを取り上げた。フロアの全員に向けて予定を言う。

「国際防災シンポジウムの打ち合わせのため、京阪《けいはん》大学に行ってきます」

「いってらっしゃい。雪村《ゆきむら》教授に会ったらよろしく伝えといて」

由季子がパソコンのモニタから顔を上げて声をかけた。

「了解」

優貴は蒼生の後ろを黙って通り抜けた。一度も目を合わせてもらえず、蒼生は心が重く沈むのを感じた。

第十四章　過去の清算

午後、蒼生は由季子に頼まれていた報告書の翻訳の仕上げにかかりきりだった。一度、休憩しようとアイスティーを飲んだとき、壁のホワイトボードを見て、優貴の名前の横に〝直帰〟と書かれたマグネットプレートが貼られているのに気づいた。

（優貴、今日は直帰なんだ……）

彼の姿が見えないのは寂しいけれど、ランチタイムのぎくしゃくしたやりとりを思い出すと、少しだけホッとしてしまう。

だが、いつまでも逃げているわけにはいかない。

亨への回答を期限ギリギリの今週末まで引き延ばしたとしても、彼にノーという返事をすれば、この会社で働く最後の一週間、蒼生は男とすぐ寝る軽い女として、会社の全社員から蔑みの目で見られるだろう。優貴にも幻滅され、破局を迎えることになる。

（もし、イエスって答えたら……？）

たった一度、亨に抱かれるだけで、この会社で得た信頼は守られ、優貴との関係も続けていけるはずだ。

（でも……やっぱり無理）

優貴以外の男性に触れられると想像しただけでも虫酸が走るし、それはなにより優貴への裏切りになる。

（絶対に無理！）

それなら、答えは一つしかない。

（優貴への想いを大切にしよう。明日から金曜日までの四日間、悔いのないように彼を愛し愛されよう）

それしかない、と蒼生はようやく心を決めた。


仕事を終えたあと、蒼生はメールで優貴に夕食の予定を訊いた。五分ほどして、『このままクライアントと食事に行く』と返信があった。

それなら、明日お弁当を作って、夜にも手料理をごちそうしよう。

蒼生はそう考えて、乗換駅で降りて大きな書店に寄り、初心者向けのレシピ本を探した。『彼と私のお弁当』と『誰でも簡単イタリアン』というタイトルの本を見つけた。どちらも手順が丁寧に解説され、併せて写真も掲載されている。

（これなら私でも作れそう）

その二冊を買い、大型スーパーに寄って、弁当箱を二つとたくさんの食材を購入した。スーパーでエコバッグ二袋分の食材を購入するなんて、蒼生には初めてのことだった。

翌朝、いつもより二時間早く起きて、弁当作りに取りかかった。白ご飯の上に卵そぼろと甘辛く味付けした鶏そぼろをのせ、小さく作ったハンバーグとウインナーを焼き、ポテトサラダ、茹でたブロッコリーと一緒に入れた。隙間にはプチトマトを詰める。レシピ本の写真ほどは美しく盛りつけられなかったが、赤や黄、白や緑、茶色などが目に鮮やかだ。

（わあ、彩りもキレイ！　これなら優貴も喜んでくれるかな）

冷蔵庫が空っぽの蒼生がこんな料理を作るなど、彼は想像すらしないだろう。

そう思ったとたん、目が熱く潤んで目尻から涙がこぼれた。

「やだ、なんで……」

けれど、涙が溢れる理由は自分でもわかっていた。あと四日で優貴との関係が終わってしまうからだ。

（泣かないで楽しまなくちゃ、もったいない）

蒼生は涙を拭って、弁当箱を包んだ。着替えてメイクを終えたときには出勤時間ギリギリで、慌てて部屋を飛び出した。キッチンには汚れたフライパンやボウルが山積みだが、遅刻するわけにはいかない。

どうにかいつもの電車に乗ることができ、勤務が始まる二十分前にオフィスビルに入った。エレベーターホールで優貴の姿を見つけ、高鳴る胸を抑えながら彼に駆け寄る。

「小野塚くん、おはよう」

「ああ、おはよう」

昨日のことがあるからか、優貴の笑顔はどこかぎこちない。蒼生は元気に笑って紙袋を差し出した。

「お弁当を作ってきたんだけど、食べてもらえるかな？」

「え、俺に？」

優貴の表情が明るくなった。この笑顔、やっぱり好きだなぁと蒼生は思う。

「ほかに誰に作るのよ」

「ありがとう」

優貴が紙袋を受け取り、蒼生ははにかんで笑った。

「あんまり……上手にできなかったんだけど」

「蒼生が作ってくれただけで嬉しいよ。もちろん一緒に食べられるんだよな？」

「うん」

「昼休みまで待ち遠しい」

優貴の嬉しそうな姿を見て、蒼生の目頭がまたじんわりと熱くなった。彼の笑顔を目に焼き付けたくてじいっと見つめていたら、優貴は照れたように微笑みながら小さく首を傾げた。

「なに？」

蒼生は慌てて首を振る。

「ううん、なんでもない。それから今日の夜ね、もし予定がなかったら、うちに来てくれないかな？」

「蒼生の部屋に？」

「うん。イタリアンを作ってみようと思ってるの」

「蒼生が？　ホントに？」

優貴が目を丸くした。彼の驚いた様子を見て、蒼生の声が小さくなる。

「お、おかしいかな？」

「ぜんぜんおかしくない！　でも、いきなりどういう風の吹き回し？」

出社初日、このエントランスで再会したときと同じセリフを言われて、胸が痛くなるような懐かしさを覚えた。あのときは彼と付き合うことになるなど、想像すらしていなかった。

「蒼生？」

優貴に顔を覗き込まれて、蒼生は我に返った。

「あ、ごめん。ちょっとボーッとしちゃって」

「また寝不足？　弁当、すごく嬉しいけど無理するなよ」

「うん、ありがとう。でも、私が作りたかっただけだから」

蒼生が優貴を見上げると、彼は頬を赤くして蒼生を見た。

「ヤバイ、今すぐキスしたい」

「えっ、だめだよ、それは」

蒼生が慌てたとき、背後から男性の声が聞こえてきた。

「朝から仲いいね」

後ろを見るまでもなく、声の主が亨だとわかった。蒼生の背中に緊張が走る。

「勝浦さん、おはようございます」

優貴が挨拶し、蒼生はおそるおそる振り返った。

「おはようございます」

「おはよう。朝から妬けちゃうな」

亨は蒼生に思わせぶりな視線を投げてから、エレベーターに乗り込んだ。その後ろ姿を見送って、優貴が不満げにつぶやく。

「蒼生には俺がいるって、勝浦さん、わかってるはずだよな」

(勝浦さん、お願いだから金曜日までは邪魔しないで)

蒼生は彼の姿が消えたエレベーターのドアに向かって、心の中で訴えた。


業務のあと、蒼生は優貴と一緒に退社した。食材は昨日のうちに買っておいたので、帰る前に有名ベーカリーでフォカッチャを買い、ワインを選びにデパ地下に寄った。温度管理されたワインセラーの中に並んだたくさんのワインを見ながら、一緒に吟味する。それだけなのに楽しい。

「蒼生が料理をしてくれるっていうし、奮発しようか」

優貴が笑って、フランスの有名なワイナリーのボトルを取り上げた。値段を見て蒼生は情けない顔になる。

「そんな高級ワインに合うような料理にならないかも……」

「大丈夫。愛情の分、絶対おいしくなるって」

「じゃあ、塩こしょうはしないで、愛情だけたっぷり振っておく？」

蒼生の冗談に、優貴が楽しげに笑う。

「それはダメ」

ワインを買って他愛ないことをしゃべりながら帰宅した。さて料理をしようかと思ったものの、散らかったままのシンクを優貴に見られて、蒼生は慌ててしまう。

「朝、蒼生がどんなだったか目に浮かぶよ」

優貴に笑われて、蒼生は彼をキッチンから遠ざけようと背中を押した。

「もう、言わないで。あっち行ってて」

彼はくるりと振り返って蒼生を腕の中にふわりと抱いた。

「手伝ってあげる。洗い物だけね」

「えー？」

「俺は百パーセント蒼生の手作りのものを食べたいんだ」

優貴が言って、蒼生の唇にキスを落とした。柔らかな唇がすぐに離れて、蒼生は切なさを覚えた。それが表情に出たのか、優貴が蒼生の額を軽く小突く。

「あとでたっぷりキスしてやるから、そんな顔をするなって。今すぐベッドに行きたくなるだろ。そうしたら晩飯抜きになる」

「あ、それはダメ」

　蒼生は慌てて彼の腕の中から抜け出した。

（いちいち切なくなってたらダメだよね）

　唇をキュッと引き結び、気持ちを強く持つ。生成りのエプロンを着けてブラウスの袖をまくった。

「でも、レシピ本を見ながら作るから、幻滅しないでね」

「しないよ。俺のために一生懸命なんだってわかって、逆に嬉しいんだから」

　優貴が首元に指を入れてネクタイを外した。ジャケットを脱いでネクタイと一緒にソファの上に置くと、ワイシャツの袖を引き上げてシンクに向かった。

「ここは俺に任せて、蒼生は料理の準備を始めて」

「ありがとう」

　彼の言葉に甘えて、蒼生はレシピ本を開いた。そして冷蔵庫から食材を取り出す。本の写真のように鶏もも肉を広げ、塩こしょうを振って、薄力粉を薄くまぶした。そうしている間に、優貴がフライパンを洗い終えたので、それにオリーブオイルを熱して、鶏もも肉を皮面から焼き始める。

（〝おいしく作るポイントは、ここで動かさないこと〟）

　吹き出しに書かれた料理メモを読んで、蒼生がじぃっと鶏肉を見つめていると、優貴が食器やボウルをすべて洗い終えて、蒼生の横に立った。

「仕事してるときと同じ顔だな」

「え？」

　蒼生が優貴の方を見て、彼が微笑んだ。

「真剣な表情だから、邪魔しちゃいけないなって思う」

「じゃあ、座ってくつろいでて」

「いいや。邪魔したいとも思うんだ」

　優貴が蒼生の腰に左手を絡めて彼女を引き寄せた。

「焦げちゃう」

「大丈夫だって」

　優貴は蒼生の顎をつまんで、彼女をじっと見た。彼の表情から笑みが消える。

「なにかあっただろ？」

　蒼生はギクリとしたが、それをごまかすように笑って答える。

「やだな。私が料理をしたらそんなに変なの？」

「そういうわけじゃない。ただ、なんだか蒼生がなにかに追われでもしているような感じがして」

「そ、そんなことないよ。今は差し迫った仕事もないし」

蒼生は苦笑してしかめ面をしてみせた。

「そう？」

「そうよ。変な気を遣いすぎ」

蒼生は目をフライパンの方に動かした。

「そろそろ焼けたかも」

「まだ大丈夫」

「どうしてわかるの？」

「焼けたら油の音が変わるんだ」

優貴は蒼生の顎をつまんだまま、顔を傾けた。

「音？」

「そう。ジューッていうのは水が油で揮発する音なんだ。その間隔が短くなってきたら、いい感じに焼けてきたってこと」

そう言って蒼生の唇に唇を重ねた。角度を変えながら、ゆっくりと蒼生の唇を食む。

「ん……やっぱり、料理できなくなりそう」

蒼生が顎を引いて唇を離すと、優貴が小さく息を吐いた。

「本当だな」

優貴は蒼生の顎から手を離し、腰に絡めていた腕を解いた。

「焼けてきた」

優貴に言われて、蒼生は菜箸を取り上げフライパンに向き直った。油の立てる音の間隔が狭くなり、ジュジュジュと高い音がしている。肉をそっと裏返すと、皮にはこんがりきつね色の焦げ目がついていた。

「ホントだ！」

出てきた余分な脂をキッチンペーパーで拭き取り、鶏肉の横に皮を剝いて輪切りにしたジャガイモを並べた。蓋をして、ときどきジャガイモを裏返しながら中まで火を通せばできあがりだ。同時進行で、缶入りのミネストローネを鍋に空けて、水を加えて温めた。

「はい、皿」

優貴が皿を差し出し、蒼生は受け取って盛りつけた。フライパンをサッと拭いて、バルサミコ酢と醬油、蜂蜜を煮詰めるとソースができる。それを鶏肉にかけてクレソンを飾れば完成だ。

「できた！」

「レストランのメイン料理みたいだな」

優貴に褒められて、蒼生は顔をほころばせる。

（初めてにしては上出来！）

「でも、やっぱりシンクは惨事になるんだな」

優貴に指摘され、蒼生は小さく舌を出した。急いでジャガイモの皮を剝いたせいで、シンク中にジャガイモの皮が散乱しているし、菜箸やソースの材料を混ぜ合わせたボウル、ターナー、ミネストローネの缶が無造作に投げ込まれている。

「そこは見ないフリをするところなのに」

蒼生が冗談っぽく笑うと、優貴が蒼生の頬に軽く口づけた。

「後片づけは俺が担当するよ」

「ホント？」

蒼生が顔を輝かせたのを見て、優貴が苦笑する。

「蒼生って片づけ苦手そうだもんな」

「そんなことないけど〜」

「そうか？　納期明けの蒼生の部屋もかなりの惨事だったぞ」

「それは言わないで〜」

蒼生は笑いながら、皿とフォカッチャをローテーブルへと運んだ。向かい合って座り、優貴が赤ワインのコルク栓を開けてグラスに注ぎ、一つのグラスを蒼生の前に置いた。

「今日もお疲れ様」

蒼生はグラスを取り上げて言った。

「蒼生こそ。おいしそうな料理をありがとう」

優貴もグラスを取り上げ、ふたりで乾杯をした。ワインは美しいルビー色をしていて、口に含むと程よい渋みがあり、フルーティな香りが鼻に抜けた。

「んー、おいしい。いくらでも飲めそう。でも、明日も仕事だからほどほどにしないといけないね」

蒼生が言うと、優貴はフォークとナイフを取り上げて笑った。

「このまま週末に突入したい気分だな」

週末、という言葉を聞いて、蒼生の頬がぴくりと動いた。

「どうして?」

「どうしてって、もちろんこのまま蒼生と朝まで過ごしたいからだよ」

「そ……れでもいいよ」

蒼生はフォカッチャをちぎりながら言った。

「翻訳の仕事は入ってないの?」

優貴に訊かれて蒼生はうなずいた。

「うん。今週は入れないことにしてる」

「ふぅん」

優貴がチキンのソテーを切って口に運んだ。一口味わい、目を細めて微笑む。

「うまい」

「よかった」

蒼生もチキンを口に入れた。皮はパリッと焼けているし、バルサミコ酢のソースは独特の香りとコクがあって、食欲がそそられる。

蒼生が百パーセント手作りしたのはチキンのソテーと付け合わせのポテトだけだが、優貴がおいしそうに食べてくれるのが嬉しい。

食べ終えると、ワイングラスを持ったままふたりでソファに移動した。残っていたワインを飲み干して、優貴が満足そうな表情で口を開く。

「結局全部飲んでしまったな。でも、今日は記念日だからいいか」

蒼生は小さく首を傾げた。

「記念日？　私が初めて優貴に手料理をごちそうした記念日ってこと？」

「ちょっと違うな」

「どう違うの？」

優貴は空になったグラスをローテーブルに置いた。

「蒼生が初めて俺にイタリアンをごちそうしてくれた日」

「じゃあ、明日、和食を作ったら、私が初めて優貴に和食をごちそうした記念日ってことになるの？」

「そう」

「どれだけ記念日が好きなのよ」

蒼生が呆れた笑顔になると、優貴が蒼生の腰に片手を回した。

「蒼生といろんな記念日を積み重ねていきたいんだ」

「そんなのすぐにネタが尽きちゃう。せいぜいがんばって、中華料理とフレンチ、珍しいところでインドネシア料理とかギリシャ料理とか……?」

優貴が蒼生の手の中からワイングラスを抜き取り、ローテーブルに置いた。その手で蒼生の頬に触れ、髪を梳くようにしながら後頭部に回す。

「料理だけじゃないよ。蒼生と一緒に海へ行った記念日、一緒にドライブした記念日、付き合って一ヵ月が経った記念日、一年が経った記念日……いろいろある」

そんな先の話、と言いかけて口をつぐんだ。そんな日は来ない、なんて言えるわけがない。

「こういう記念日はどう?」

蒼生はソファに膝立ちになって、優貴の首に両腕を絡めた。

「私が……優貴に迫った記念日」

ささやきながら、彼の唇に自分の唇を重ねた。温かくて柔らかな唇に触れたとたん、胸がキュウッと苦しくなる。

(好き。大好き。誰よりも大切な人……)

その気持ちを込めて、大切に大切に口づける。

「蒼生……」

優貴の声が甘くなって、腰に彼の手が回された。その手がお尻から太ももへと滑り降り、左脚を引き上げられて、彼の膝の上に跨がる格好になった。ブラウスの裾をスカートから引き出して彼の手が侵入し、蒼生の背中を撫で回す。

「ふ……」

蒼生は小さく息を漏らしたが、いつも優貴がするように、彼の唇を割って舌を差し入れた。そうしてキスを続けながら、手探りで優貴のワイシャツのボタンを一つずつ外す。前をはだけさせて逞しい胸板にそっと手をのせた。手のひらにドクンドクンと速い鼓動を感じる。胸をそっと撫でたら、優貴がハッと息を呑んだ。

「今日は積極的なんだね」

唇を離してつぶやいた彼の声は、熱に浮かされたようにかすれている。

「こういうのもいいと思わない？」

蒼生は妖艶に微笑んでみせた。彼のズボンのベルトを外してファスナーに手をかけ、ゆっくりと下ろす。前をくつろげ、黒いボクサーパンツを押し上げているそれに、右手を這わせた。

「蒼生……」

優貴がビクリと体を震わせ、熱い吐息をこぼす。

蒼生は逞しい腹筋をなぞり、ボクサーパンツの中に手を滑り込ませた。直に触れ、その硬さと熱さに頬がカァッと熱を持つ。それを握ってそっと手を上下に動かすと、優貴が悩ましげに眉を寄せた。彼が感じる顔をもっと見たくて、握る位置を変えたり強弱を加えたりする。

「待って……」

優貴がかすれた声を漏らした。少しでも彼の記憶に残りたくて、蒼生は一生懸命に手を動かす。

蒼生は彼の膝から下りて、彼の脚の間に跪いた。

「蒼生？」

優貴の戸惑った声を聞きながら、猛り立っているそれの先端をそっと口に含んだ。舌で触れたとたん、苦い味がする。

(私に感じてくれてる……)

彼の反応をうかがいながら、手を添え、ゆっくりと舌を這わせていく。ときおり強く吸ったり、慎重に歯を立てたりすると、そのたびに手の中の怒張が硬度を増していく。

優貴が息を乱しながら天井を仰いだ。いつも私にしてくれるみたいに彼にもイッてほしい。そう思ったとき、優貴がかすれた声を出した。

「嬉しいけど……やっぱり主導権は渡せない」

え、と思ったときには、脇の下に彼の手が差し込まれ、蒼生はソファの上に引き上げられていた。

隣に座らされ、片手で後頭部を押さえられて、襲いかかるように口づけられた。優貴の逆の手が蒼生の背中を撫で上げ、ホックをぷつりと外す。前に回った手がブラジャーを押し上げ、膨らみを包み込んだ。いつもより荒々しく揉みしだかれ、彼の手の中で胸の形が変わるほど捏ねられ、体の中で熱が高まっていく。

「あぁっ」

胸の先端を指の腹でつままれて、たまらず声を上げた。彼の体に蒼生の記憶を残そうと思っていたのに、ブラウスを押し上げられ、露わになった膨らみに口づけられて、その試みは実現しそうにない。

「今すぐ蒼生が欲しい」

優貴が蒼生をソファに押し倒しながら言った。胸元にチリッと強い痛みを感じ、蒼生は小さく悲鳴を上げる。

「あぅ」

優貴の唇が胸からお腹へと移動し、肌に熱い息がかかる。淡い痺れが背筋を這い上がり、蒼生は切なげな息を漏らした。

彼の手のひらが太ももを這い、スカートをまくり上げた。ショーツを脱がされ、片脚を抱え上げられ、彼の猛ったものが押し込まれる。

「はっ……あぁぁっ」

いきなり太いものを押し込まれたが、痛みは感じなかった。それどころか、蒼生はゾクゾクとした快感に背筋を震わせ、中はそれを放すまいと彼自身をくわえ込む。

「こういう……中途半端に脱げてるのもいやらしいな」

優貴が片方の口角を引き上げて笑った。蒼生はブラウスを胸の上まで捲り上げられ、スカートも腰の辺りでしわになっている。しどけない格好に羞恥心が煽られた。だが、優貴もワイシャツの前をはだけ、ズボンを引き下げただけ。額にはしわが刻まれていて、彼自身、余裕がないのがわかる。

「俺を追いつめたのは蒼生だぞ」

いつもより性急に彼が動き出す。

「あっ、待っ……やぁ、ん……っ！」

いきなり奥まで貫かれ、その衝撃に蒼生は背を仰け反らせた。

「蒼生は俺のものだってこと、忘れるなよ」

腰を摑まれ、繰り返し激しく突き上げられて、甘い衝撃が何度も背筋を走る。押し寄せてくる快感に溺れそうになりながらも、蒼生は喘ぐように声を漏らす。

「ん……忘れない……」

「ずっとだ」

有無を言わせない強い口調、荒々しい動き。身も心も翻弄されて、ノーなんて言えるはずがない。なにより言いたくない。体の中の熱が高まると同時に、目に熱いものが込み上げてきた。

（今だけは彼の言葉に溺れたい）

「はぁっ、ん……ん、ずっと……忘れない」

蒼生は優貴に揺さぶられながら、浮かされたように何度もつぶやいた。

第十五章　ぶれない気持ち

水曜日と木曜日も同じようにして過ごし、金曜日の早朝を迎えた。

「蒼生、起きてる？」

気だるいまどろみの中にいた蒼生は、優貴の声で目を覚ました。

「ん……今、何時？」

寝起きの少しかすれた声で彼が答える。

「まだ六時だよ」

「そっか……。あと二十分は寝られるね」

優貴が蒼生の頭にそっと触れ、シーツの上で乱れた髪に手櫛を通した。

「いつまでこうやって過ごせるのかな？」

優貴のつぶやきを聞いて、蒼生はギクリとして一気に目が覚めた。

「ど、どういう意味？」

「あと一週間と少しで藤原さんが復帰してくるから、うちでの蒼生の仕事も終わりだろ？　そうしたら、蒼生はまた前みたいに夜も家で仕事をするのかなって。そうなったら、こういう過ごし方はできなくなりそうだろ？」

「あー……あんまり考えてなかったな」

優貴を失うまでの時間を彼とたっぷり過ごしたい。この一週間はそれだけしか考えていなかった。

「なんだよ、それ」

優貴の口調が不満そうになり、蒼生は彼の裸の胸に顔をうずめた。

「今はただ、優貴と一緒に過ごせるのが幸せで、そのことしか考えてなかったの」

「かわいいことを言ってくれるんだな」

優貴が蒼生の髪を撫でた。彼に優しく髪を触られながら彼の穏やかな鼓動を聞いていると、ずっとこのままでいたい、と思ってしまう。

「そろそろ朝ご飯を作らなくちゃいけないかな」

蒼生がつぶやくと、優貴が蒼生の髪に指を絡めた。

「今日は俺が作るよ。この三日間、ずっと蒼生が作ってくれてたもんな」

優貴がそっとベッドの上に起き上がった。ベッドを降りようとする逞しい背中に、蒼生はそっと触れ、愛おしむように撫でた。

「なに、俺を誘ってるの？」

優貴が笑いながら肩越しに蒼生を見た。

「あ、そういうつもりじゃ」

彼の肌、彼の温もり、彼の声……時間がないのだと思うと、つい一つ一つを記憶に刻みつけようとしてしまう。

「残念ながら時間が足りないな。今晩は俺の部屋においで。今までのお礼をするよ。腕を振るうから」

優貴が言って、蒼生の唇に軽くキスを落とした。

(今晩なんて……あるのかな)

蒼生は、ベッドを下りてシャツを拾い上げる優貴の後ろ姿を見ながら、ぼんやりと思った。

蒼生が亨にノーと答えた時点で、亨は優貴に蒼生の過去を話すだろうか。それとも月曜日まで猶予はあるのだろうか。

じっとしていると、優貴を失うまでのカウントダウンの音が聞こえるようで、蒼生はいても立ってもいられなくなり、ベッドから飛び降りた。タオルケットを体に巻きつけ、キッチンに走る。すでにスーツのズボンとワイシャツを身につけた優貴が、冷蔵庫から卵を取り出していた。その背中にギュウッと抱きつく。

「どうした、蒼生」

優貴が怪訝そうな声を出した。蒼生は彼の背中に頬を押しつけたまま言う。

「あ、ごめん。なんだかお腹空いちゃって」

「まだ作り始めてもいないのに。食い意地が張ってんだな」

優貴がおかしそうに笑った。蒼生も笑ったが、喉から漏れたのは乾いた笑い声だった。

その日も一緒に出勤して、ランチタイムには一緒にスペインバルに行った。バルといえば夜行くようなイメージだったが、ランチタイムも営業していて、リーズナブルにスペイン料理を楽しめる。

店内はほぼ満席で、蒼生と優貴はカウンターの隅の席に案内された。

「北浜ってオフィス街ってイメージが強いけど、いろんなお店があるんだね」

蒼生は椅子に座って店内を見回した。壁は白色で明るく、鉢植えの鮮やかな花が飾られていて、床には赤茶けたタイルが敷き詰められている。地中海を思わせる雰囲気だ。

「そうだろ？　お勧めの店はまだまだいっぱいあるんだ」

優貴はパエリヤを、蒼生はボカディージョと呼ばれるスペイン風サンドウィッチを注文した。ボカディージョはフランスパンのようなしっかりしたパンに生ハムとスペイン風オムレツ、チーズとレタスがサンドされたものだ。

「結構ボリュームあるね」

明日からどうなるのかと想像すると食欲が萎えるが、優貴に不審に思われないよう、蒼生は無理矢理ボカディージョを頬張った。

外で待っている客もいたので、蒼生と優貴は食べ終わるとすぐにバルを出た。

「昼からもがんばろうな」

オフィスへ向かって歩きながら、優貴が言った。

「うん」

「蒼生は何時くらいに終わりそう？」

「うーん……わかんないな……。来月に、紛争地の世界遺産修復のためのシンポジウムがあるでしょ？　あの調査資料の翻訳を福盛さんから頼まれてるし……」

「それって今日中？」

「うん。月曜日に必要なんだって。週をまたげないわ」

「じゃあ、一緒に帰れそうにないかな？」

優貴に問われて、蒼生は淡い笑みを浮かべた。仕事の終わる時間に関係なく、今日の夜は亨に会わなければならない。

「そうだね……ごめんなさい」

「謝る必要ないよ。もし蒼生の方が早く終わったら、先に帰ってて。合い鍵を渡しておくから」

優貴がズボンのポケットに手を入れてキーケースを取り出すので、蒼生は首を横に振った。

「ううん、いい」

「どうして？」

優貴が怪訝そうに訊いた。蒼生は御堂筋駅に直結する複合商業ビルの名前を挙げて答える。

「あー、えっと、オドナ辺りをブラブラしようかなって思ってて。買いたい本もあるし」

「そう」

優貴はキーケースをポケットに戻した。

（ちょっとわざとらしかったかな……？）

蒼生は心配になって、優貴の横顔をこっそりと見た。七月下旬のまぶしい日差しの中、彼はなにか考え込んでいるようだ。

御堂筋を渡って少し歩くと、ビジネスホテルが見えてきた。ガーデンホテルという名称だけあって、木立に囲まれた小さな庭がある。背の高い木が歩道に影を落としていて涼しげだ。一本の木の陰に来たとき、優貴が足を止めて蒼生の右手をそっと握った。

「どうしたの――」

蒼生が優貴を見上げたとき、彼の唇が蒼生の唇にさっと触れた。人通りの少ない路地とはいえ、ホテルの近くだ。誰かに見られたんじゃ、と蒼生は頬を染めたが、優貴は穏やかに微笑んで口を開く。

「俺はなにがあっても蒼生の味方だから」

「っ……」

蒼生は涙が込み上げてきて嗚咽が漏れそうになり、口元を手で覆った。

「蒼生には今なにか困ったことがあるけど、自分で解決しようとしているのはわかる。でも、俺がいるってことを忘れないでほしい」

その言葉だけで充分幸せだ。過去の報いを受けるのだとしても、彼の言葉はきっといい思い出になる……。

蒼生は泣きそうになるのを懸命にこらえて笑顔を作った。

「ありがとう。でも、大丈夫。優貴はなにも心配することないよ」

蒼生は彼の言葉を噛みしめながら歩き出した。優貴はそれ以上なにも言わず、蒼生に続いた。


ついに五時半になった。蒼生はトイレに行って個室の中で亨の携帯アドレスにメールを送った。『結論を出しました』とだけ書いたメールに、一分も経たずに返信がある。

『僕はもう少し仕事があるから、七時半にメトロ御堂筋線の一番出口に来て』

『わかりました』

蒼生は返信をして自分のデスクに戻った。由季子に頼まれた仕事はおおかたできあがっていて、七時には終わった。パソコンをシャットダウンして、荷物を持って立ち上がる。

「お先に失礼します」

残っている社員に声をかけたとき、優貴が顔を上げて視線が合った。

「お疲れ様」

彼がねぎらうように微笑んだ。

（優貴が私に笑顔を向けてくれるのは……これが最後になるんだ）

そう思うと涙が込み上げてきて、蒼生は小さく会釈をしてオフィスを出た。

遅れて文句を言われるよりは早く着く方がいい。そう思って、そのままエレベーターで一階に下りた。亨は近くにいるだろうかと思ったが、一緒にいるところを目撃されないようにするためか、彼の姿はなかった。

蒼生は通勤に使っている大阪メトロ堺筋線の北浜駅とは逆の、御堂筋線の淀屋橋《よどやばし》駅に向かって歩き始めた。土佐堀通りに出て、そのまま西へと歩く。帰宅時間で交通量が多く、湿気を含んだ空気が重い。

淀屋橋駅の一番出口は、重厚な鉄筋コンクリート造りの淀屋橋の袂《たもと》にある。蒼生の周囲を歩いていた人たちは、多くがそのまま駅へと下りる階段に吸い込まれていった。

一方、出口の近くや橋の袂には待ち合わせをしている人の姿もちらほらあった。蒼生は出口の横の壁際に、目立たないように立った。

花壇の近くにいた二十代半ばくらいの女性が、パッと笑顔になった。彼女の視線の先を見ると、スーツ姿の男性が歩いてくる。彼も彼女を見つけて笑顔になった。幸せそうなふたりの様子を見て、蒼生はうらやましくなる。

（勝浦さん、気が変わってすっぽかしてくれたり……しないかな）

望み薄なことを願いながらぼんやりと街行く人を見ていたら、ネイビーのスーツを着た亨が、土佐堀通りを歩いてくるのが視界に入った。

(やっぱり来た、かぁ)

蒼生は肩を落としたが、すぐに気持ちを引き締めた。亨は蒼生に気づいてニヤッと笑みを浮かべ、蒼生の前で足を止めた。

「先に来て俺を待っててくれてたなんて感激だな」

「一緒に歩いているところを見られたくなかったんです」

蒼生は押し殺した声を出した。

「ま、一夜限りのことにするんだから、それもそうだよな。橋を渡って少し歩いたところにホテルがあるんだけど、そこまで一緒に歩くのは平気?」

亨は蒼生がイエスの返事をするものと思い込んでいる。蒼生は唇を湿らせ、大きく息を吸い込んで彼を見上げた。

「行きません。お断りするために来ました」

蒼生はきっぱりと言った。亨の表情が瞬時に険しくなる。

「なんだって? ノーって言えばどうなるか、わかってるのか?」

「わかってます。覚悟は決めました」

「ふざけんなよ」

亨がいきなり蒼生の右腕を摑んだ。彼の方に引き寄せられそうになり、蒼生はその場で足を踏ん張った。

「六年前、目の前で好きな女をかっさらわれて、僕がどんな気持ちでいたと思うんだ!」

亨が蒼生に顔を近づけ、怒りに目をぎらつかせた。

「僕はいつも永宮に勝ってきた。一緒に参加したソフトウェア・コンペでも、僕は最優秀賞を獲ったが、永宮は優秀賞だった。仕事では僕の方が上で、あいつも僕を尊敬してるなんて言っていた。でも、それが口先だけのことだったってわかったのは、永宮がキミを僕から奪ったときだ。僕がキミにずっと想いを寄せていたのを知っていながら！　キミが立ち直るのを僕が待っている間に！」

亨がすごい力で蒼生を引っ張り、蒼生はよろけて彼の方に引き寄せられた。亨に左肩を強く摑まれ、痛みに顔をしかめる。周囲には数人の人がいたが、痴話ゲンカかどうか様子をうかがっているか、関わり合いになりたくなくて見て見ぬフリをしているかのどちらかだ。

声を上げれば誰か助けてくれるだろうか。だが、蒼生は自分には助けを求める資格がないように思えた。これは自分が蒔いた種なのだから。

亨が険しい口調で話を続ける。

「キミは自分の愚かさがわかってるのか？　永宮は僕を苦しめるためにキミを利用した。キミのことなんかこれっぽっちも好きじゃなかったのに！」

蒼生は亨の剣幕に戦《おのの》きながらも、懸命に口を動かす。

「自分の愚かさは、あとになって痛感しました。喪失感を埋めるために、差し出された手にすがってしまったんですから」

「僕はキミがまた笑えるようになるのを待っていたんだぞ？　キミを見守っていたのに！」

「あのときの私は自分の苦しみや悲しみしか見えてなかったんです」

亨はわなわなと唇を震わせていたが、やがて唇を引き結び、不敵な笑みを浮かべた。

「僕がキミを失ったように、キミにも小野塚くんを失ってもらうよ」

蒼生が唇を噛みしめたとき、蒼生の目の前にすっと人影が現れた。視界を遮る黒いスーツの背中に、蒼生の心臓がドキンと大きな音を立てる。

「俺がどうかしましたか？」

そう言った目の前の男性は、優貴その人だった。

どうしてここに、と問おうとしたが、この場に優貴が現れた衝撃が大きすぎて、蒼生は声が出せないでいた。

「その手、離してもらえますか？　俺、蒼生がほかの男に触られるのは我慢できないんで」

優貴が不快そうに言って、蒼生の肩を摑んでいた亨の右手首を握った。優貴がぐっと力を込め、亨が痛みに顔を歪めて手を離した。

「な……んでここに」

蒼生はようやく言葉を発した。優貴が肩越しに蒼生を見たが、その眼差しは見る者をすくませるほど険しい。

「蒼生はここんとこずっと変だっただろ。なにか考え込んでるかと思えば、必死で笑おうとする。話したくなさそうだったから、無理には訊き出さなかった。でも、蒼生の様子がおかしくなったのは勝浦さんと再会してからだ。だから、勝浦さんのせいなんだろうとは思ってた。今日なんて思い詰めた感じで特におかしかったから、仕事を切り上げて後をつけてきた」

　優貴は亨の肩を乱暴に押しやった。亨が嘲るような声を出す。

「そんな恋人思いのことを言ってられるのも今のうちだよ。この女の本性を知ったら、キミは触りたいなんて思わなくなるはずだ」

「勝手なことを言うな」

　優貴の声には怒気が含まれていた。亨はふんと鼻を鳴らす。

「彼女はな、六年前、僕の同期と寝てたんだ。付き合ってたんじゃなく、ただ寝てた。セフレってやつだよ。今日ここへ来たのだって、僕と寝るためさ。それも彼女の過去を小野塚くんに黙っておく見返りに。地位のあるあんたを手放すのは惜しいからだろうな。彼女はそんな打算的で簡単な女なんだ」

　蒼生は亨に向かって声を張り上げた。

「違いますっ！　お断りするために来たんです！　私はっ……過去を知られて小野塚くんを失うことになっても、小野塚くんを裏切りたくなかったから……」

　蒼生は視界がみるみるにじんで、優貴の背中がかすれて見えた。

（彼はきっと付き合いの浅い私より、同じ会社の先輩の話を信じるよね。これでもう、本当におしまい……）

目の前が真っ白になって、まっすぐ立っていられなくなった。

「蒼生」

優貴の声がして、ふらりと倒れかけた蒼生の背中に彼が手を回した。蒼生は優貴の腕の中で、ぼんやりと彼を見上げる。なぜ優貴が今自分を支えてくれているのかわからなかった。

「六年前って言えば、蒼生が長く付き合っていた幼馴染みに婚約破棄された年だ。信じてた相手に裏切られれば、誰だって差し伸べられた手にすがりたくなる」

「とんだお人好しだな」

亨は呆れた声を出した。

「勝浦さんはその同期への嫉妬心に囚われているだけだ。本当の蒼生のことはなにもわかっちゃいない。人間は誰だって幸せに笑っているばかりじゃない」

「そんな偉そうな口を利いて後悔するぞ」

「たとえ会社の人間をみんな敵に回しても、俺は蒼生を守ります」

優貴はきっぱりと言って、蒼生の腰を左手で支えて彼女を立たせた。亨が嘲るように笑う。

「オカタイ大学や研究機関を相手に仕事をしてるってのにいいのか？　淫乱女に腑抜けにされてるって知られたら、あんたの評判はがた落ちだろうな」

「黙れ！」

優貴が右手で拳を作ったとき、亨の背後から女性の笑い声が聞こえてきた。

「やーね。なんのドラマよ。ホントおかしいったら」

あはは、と笑いながら、蒼生たちに近づいてきたのは香苗だった。清楚なベージュのワンピース姿で、左腕にブランドもののバッグをかけ、右手を口元に当てている。

「原口さん⁉」

三人の声が重なった。香苗はひとしきり笑ってから、優貴の前で足を止めた。

「小野塚くんがこんなに山本さんに一生懸命になるなんてね～。私には最初から勝ち目がなかったってことなのね。もっと早くにわかってたら、無駄な時間を過ごさなくてすんだのに」

そうして亨に向き直る。

「ねえ、勝浦さん。勝浦さんって最近左手の薬指から指輪を外してますけど、どうしてなんですか？」

香苗に問われて、亨は右手でパッと左手を握った。彼の頬が引きつっている。

「会社に入る前と出た後にはまた指輪をしてますよね。会社の誰かと不倫してるんだって噂になってるの、ご存じないの？」

「えっ」

蒼生が小さく声を上げ、香苗は振り返って蒼生を見た。

「勘違いしないでね。私はあなたを助けに来たわけじゃないの。勝浦さんの不倫相手が山本さんなら、小野塚くんを奪えると思って、あなたの後をつけてきただけなんだから」

香苗はまた亨の方を向いた。

「ホントはこんな正義の味方役を買って出るつもりはなかったのよね。でも、勝浦さんが卑怯な真似をするなら、私だって黙っていないわよってこと」

「原口さんは……よく人を見ているんだね」

亨は弱々しい声を発した。

「人、というより男性かしら」

香苗が含み笑いするのを、蒼生は呆気にとられたまま見ていた。亨が言い訳をするように口を動かす。

「でも、これは別に不倫とか、そういうんじゃないから」

「そうね。単なる浮気未遂ってところ?」

「いや、だから」

慌てる亨に対し、香苗は余裕の表情だ。

「勝浦さんの知り合いで、独身のイケメンを紹介してくれるなら黙っててあげる。できれば年収は一千万円以上で、課長とか部長とか役職者ならなおよし。もちろん離婚歴なしで誠実な人。でも、女性と付き合ったことがないって人は嫌だから」

「ええっ」

「それじゃ、月曜日までに考えておいてくださいねぇ」

香苗はそう言って、蒼生と優貴ににっこり微笑みかけ、土佐堀通りを北浜駅の方へと歩き始めた。

「僕も失礼するよ」

亨はそそくさと淀屋橋駅へと下りる階段を降りていく。ふたりが去って行くのを蒼生は小さく口を開けたまま見ていた。

展開が急すぎて理解が追いつかないが、どうやら最大のピンチを切り抜けられたのだと、ようやくわかってきた。なにもかも元通りになったのだろうかと安堵しかけたとき、優貴が蒼生にぶっきらぼうに声をかける。

「帰るぞ」

彼は蒼生の腰から手を離し、蒼生の左手を握って土佐堀通りをずんずん歩き始めた。

「え、あの」

蒼生は小走りになって彼に続いた。さっきのやりとりで優貴は蒼生の味方をしてくれたのに、今の彼は険しい横顔をしている。蒼生の心にまた不安が湧き上がってきた。

(やっぱり……私のこと、許せない……？)

優貴は片手を挙げて、走ってきたタクシーを停めた。

「今日は俺の部屋だって言ったからな」

「えっ」

優貴は蒼生を押し込むようにしてタクシーに乗せ、自分もあとから乗り込んだ。

「近鉄藤井寺駅へ行ってください」

「高速を使って大丈夫ですか？」

運転手が優貴を見て訊き、優貴がうなずく。

「はい」

タクシーはすぐに走り出し、蒼生は左隣の優貴をチラッと見た。彼は腕を組んで窓の外を見ていた。不機嫌な空気を醸し出していて、話しかけづらい。

（謝ったらいいのかな？　それともお礼を伝えるのが先？）

「優貴」

蒼生は小声で話しかけたが、優貴は窓の方を向いたままだ。

「今は話しかけるな」

押し殺したような低い声で言われて、蒼生は唇を引き結んだ。

怒っているのは間違いないのに、謝ることすら許してくれなくて、蒼生は黙ってうつむいた。

三十分ほどして藤井寺駅が見えてきて、優貴が自宅のマンションまでの道のりを説明した。ほどなくしてタクシーはライトブラウンの外壁をしたマンションの前で停車した。

「ここでいいですか？」

「はい」

優貴がクレジットカードを出して運賃を精算し、先に降りた。彼がドアの外からぞんざいに手を差し伸べ、蒼生はその手を取ってタクシーを降りる。

優貴の行動の意味がわからないまま、彼に連れられて十階建てマンションのエントランスに入った。

五階でエレベーターから降ろされ、共用廊下の一番奥にある角部屋の前で優貴が足を止めた。ポケットから鍵を取り出して鍵を開け、無言でドアを大きく開ける。

そっとうかがうと彼の顔はやはり怒っていた。優貴に背中を押され、蒼生は玄関に足を踏み入れた。

「お邪魔します」

か細い声でつぶやいてパンプスを脱ぎ、廊下に上がった。背後でドアが閉められ、チェーンがかけられる。

振り返ろうとしたとき、後ろから優貴にギュウッと抱きしめられた。蒼生の頬に彼が頬を押しつける。

「優貴？」

蒼生が怪訝な声を上げた直後、耳たぶに唇が触れた。ふわっと息がかかって首筋がゾクリとする。こんなときに感じてしまうなんて不謹慎だ、と気持ちを立て直そうとしたが、耳たぶを甘く噛まれ、思わず声が漏れてしまった。

「ひゃっ」

優貴の唇は首筋へと移動し、歯を立てられて軽い痛みが走る。

「あっ」

そのまま彼の唇は蒼生のワンピースの襟を押し分けるようにして肩に口づけた。ときに甘く噛みながら、何度も唇を押し当てる。

「優貴……」

ゾクゾクとした刺激が何度も背筋を駆け上がり、蒼生は腰が砕けそうになった。その彼女を横抱きに抱き上げて、優貴が言う。

「俺は怒ってるんだからな」

「わ、わかってる」

「なにをわかってるって言うんだ」

彼の険しい口調に蒼生は身をすくませた。優貴は廊下を歩いてキッチンの横を通り、窓際のベッドへと蒼生を運ぶ。

「わ、私の過去を怒ってるんだよね？」

蒼生はうかがうように優貴を見た。彼は蒼生をベッドの端に座らせる。

「違う。ほかの男に——勝浦さんに触れさせたことだ」

優貴は隣に座って、蒼生の手首に唇を押しつけた。そのまま手のひらをついばみ、蒼生の指先を唇に含む。

「触れさせたって……そのこと？」

上目遣いで見ると、彼と視線が絡まった。鋭く強い眼差しで見つめられ、蒼生は小さく息を呑む。

「あんな……蒼生のことをなにもわかってない自己中男が蒼生に触れたなんて、どうしようもなく腹が立つ。原口さんが出てこなかったら、勝浦さんを殴り飛ばしてやったのに」

「ええと……」

怒っているというより、独占欲に満ちたその言葉を聞いて、蒼生は瞬きをした。

「蒼生は俺のものだって言っただろ」

優貴は蒼生の背中に手を回し、ワンピースのファスナーを下ろした。

「あ」

キャミソールと一緒にワンピースを腰まで引き下ろされ、蒼生は心許なくて彼のシャツを摑んだ。

優貴が肩に唇を押し当てながら、ブラジャーを押し下げた。こぼれでた膨らみを下から持ち上げるようにしながら、ゆっくりと揉み上げる。

「ひゃ、あ……んっ」

優貴に触られて、体はすぐに感じ始める。芯を持った尖りを親指でつぶされ、蒼生は悩ましげにギュッと眉を寄せた。そのままゆっくりベッドに押し倒され、彼の唇が胸の膨らみへと移動する。片方の突起を口に含まれ、もう片方をつまみ上げられ指の腹でこすられて、甘い声が漏れた。

「あ……やぁ……」

優貴が腰に手を滑らせ、ショーツの中へ長い指を差し入れた。すでに濡れているのに下から上へと何度も往復され、さらに蜜が溢れる。それをまとわせながら、彼の指が先端の芯に触れた。

「あぁ、やんっ」

蜜を絡ませた指でこすられ、蒼生の脚が小さく震えた。もう片方の手で胸を形が変わるくらい揉みしだかれ、逆の先端を舌で弄ばれ、甘美な刺激に体の奥が熱くなっていく。

「あ……っ」

優貴の指先が花弁を開き、奥にある蜜口へと沈み込んだ。

「あぁっ」

彼の指先が、蒼生の感じる部分を刺激する。強く弱く、優しく激しくこすられて、蒼生は高まってくる感覚に眉を寄せた。

「はぁ……や……ダメ……そんなにしたら……」

「なに？」

優貴は意地悪くささやきながら、蒼生を攻め続ける。

「イッ……ちゃう……」

「いいよ。俺を感じて。俺だけを」

「も……ダメぇ」

蒼生は喘ぐような声をこぼし、体を仰け反らせた。胸を大きく上下させて荒い呼吸を繰り返す。その間に、彼にストッキングとショーツをはぎ取られた。

「待っ……」

優貴がワイシャツを脱ぐのを見ながら、蒼生はかすれた声を出した。優貴はスーツのズボンとボクサーパンツを床に落とし、蒼生をベッドにうつぶせにする。ブラジャーのホックが外され、肩紐が腕を伝ってベッドに落ちた。だが、ワンピースとキャミソールは腰に引っかかったままだ。

「や、待って、まだ……」

まだ達した余韻が抜けきらないうちに、太ももを抱えるようにしてヒップを持ち上げられ、優貴が後ろから入ってきた。

「やっ……あああぁっ」

中を熱いものに貫かれ、ビリビリとした衝撃が体を貫く。蒼生は思わずベッドに突っ伏しそうになったが、腰を両手で摑んだ彼はそれを許してくれない。蒼生のお尻を引き寄せ、激しい抽送を始める。

「あぁ、やんっ……激しっ……」

後ろから何度も突かれ、中をこすられて、快感で目の前が白く染まり始めた。シーツをギュッと摑んで耐えようとしたが、優貴に大きく揺さぶられて、入り口が彼自身をギュウッと締めつける。そのせいで彼に与えられる刺激を余計に強く感じてしまう。

「やっ……お願い……待っ……」

耐えるように目をつぶったが、蒼生の反応を感じ取った彼に、さっきよりも強く突き上げられた。

「待てるわけ……ない」

「あ……ダメ……ホントに……あ、やぁっ……あぁぁーっ！」

蒼生は必死でシーツにしがみついたが、快感を得たばかりの体は簡単に絶頂へと押し上げられた。蒼生は体を小刻みに震わせながらシーツに頬を押しつけた。何度も大きく呼吸を繰り返す。

「俺のことしか考えられなくしてやる」

優貴の声は怒りのような熱を帯びていた。

蒼生は首をねじって優貴を見上げた。頬を上気させた彼が、熱情を宿した瞳で蒼生の視線を捉える。彼が片方の口角を引き上げて、ふ、と微笑んだ。彼が腰を軽く動かし、蒼生の体を貫くそれが、まだ熱く硬いことを知らしめる。

「待って、私……」

達したばかりでぐずぐずに蕩けた中を再び激しくかき乱される。砕けそうな腰を両手で引き寄せられ、激しい愉悦から逃れられない。

「あっ、ダメっ……やだ……ホントに……おかしくなっちゃ……っ」

彼が蒼生に覆い被さるようにして、つながった部分の少し上、ぷくりと膨れた花芯に触れた。

「ひゃぁんっ」

突然の刺激に、腰がびくんと跳ねた。突かれる角度が変わって、トロトロに蕩けた中に新しい刺激が与えられる。頭の芯まで響くような快感に、本当にどうにかなってしまいそうだ。

「あぁぁ、やんっ……あぁぁっ……」

蜜口がひくっと震えて彼をきつく締めつけ、優貴が悩ましげな声を漏らす。

「蒼生……っ」

「や、あああーっ」

意識を奪い尽くすような激しい快感に襲われ、蒼生が大きく背を仰け反らすと同時に、彼も奥で弾けた。

「蒼生……」

名前を呼ぶ彼の声を聞きながら、蒼生はシーツに頬を押しつけ、荒い息を繰り返す。

背後からゆっくりと体重をかけられ、ふたりでベッドにくずおれた。汗ばんだ肌がしっとりと重なり、背中に彼の鼓動を感じる。

「愛してる……」

ささやくような優貴の声を聞いて、蒼生は一度瞬きをした。失うかもしれないと思っていた相手からの言葉に、胸が熱くなる。優貴の方に顔を向けようとしたが、後ろからギュウッと抱きしめられ、彼がどんな表情をしているのかわからなかった。

やがて呼吸が落ち着いてきた頃、優貴がごろんと横になって蒼生を腕枕した。目が合って、彼は穏やかに微笑み、蒼生の唇にそっと人差し指で触れる。

「初めて蒼生を見たとき……」

優貴が甘くかすれた低い声で言った。蒼生は小首を傾げて続きを待つ。

「キレイな人だなって思った。バーで目が合って、そらすのが大変だった」

「ホントに……？」

彼の方からそらされた気がしていたので、そんなふうに思われていたなんて意外だった。

「原口さんは蒼生のことを男に飢えているみたいな言い方をしてたけど、そうじゃないことはすぐにわかったよ」

「どうして？」

蒼生は右手を伸ばして、彼がしているのと同じように優貴の唇に触れた。優貴は口元をほころばせ、蒼生の指先にチュッとキスをした。

「捻挫した蒼生に湿布を貼ろうとしたら、蒼生がひどく怯えたから。男と出会うことが目的だったら、あんなふうには反応しないだろ」

優しく見つめられて、蒼生の胸がトクンと切ない音を立てた。

「だから、蒼生が勝浦さんの同期に身を任せたのは、なにかわけがあったからなんだろうなと思った。勝浦さんが六年前って話してたから、岡崎さんとのことがあったからだろうってすぐにわかったよ」

「だから……私を信じてくれたの？」

「そうだよ。蒼生が好きだから。蒼生をちゃんと見てたから、俺にはわかったんだ」

「ありがと……」

じわじわと熱い涙が込み上げてきて、蒼生の視界がにじんだ。

「だから、蒼生にも俺のことだけを見てほしい。楽しいときや嬉しいときだけじゃなくて、蒼生が悲しいとき、困ったとき、悩んでいるときも、ちゃんとそばにいるから」

優貴の手が蒼生の髪を梳くようにして後頭部に回された。

「なにかあったら必ず俺を思い浮かべて。もうひとりで抱え込まないでほしい」

優貴は蒼生の耳元で低くささやき、蒼生の耳たぶをそっと唇に含んだ。耳たぶを食み、今度は首筋に唇を触れさせる。チュ、チュと軽く音を立てながら、キスが落とされる。

「あっ……ん……」

首筋にかかる彼の吐息が熱い。敏感になった肌にはたまらなく刺激的だ。

「とはいえ、そう悠長なことも言ってられないよな」

「え？」

「あんな危ない目に遭うくらいなら、もうひとりで悩む暇がないくらい、蒼生の身も心も俺でいっぱいにしてやらないと」

優貴がニヤッと笑った。さっきの優しい表情とは打って変わって、捕食者のような目をしている。彼は蒼生に覆い被さり、蒼生の手に自分の手を重ねた。下腹部に触れる彼のものがもう熱く硬くなっていて、蒼生は目を見張る。

「待って、お願い」

「嫌だ、待てない」

優貴は艶っぽく微笑み、蒼生の唇にキスを落とした。それはすぐに濃密なキスへと変わり、頭も体もすっかり蕩けてしまった蒼生は、もう彼に身を委ねるしかなかった。

最終章

十月半ばの日曜日。秋らしい爽やかな正午に、優貴の大学時代の友人が結婚式を挙げた。新郎新婦とも、優貴と同じ経済学部で同じゼミに所属していた友人だ。

披露宴のあと、場所を変えて二次会が開かれ、優貴は片隅のテーブルで懐かしい友人のひとり・祥一郎《しょういちろう》と飲んでいた。

祥一郎はビールのグラスを傾けながら、いわゆる誕生日席に座っている新郎新婦に視線を送る。

「あのふたり、なんだかんだあったけど、結局、大学時代からずっと続いてたってことなんだよなぁ。すごいとしか言いようがないな」

「そうだな」

優貴は短く答えて主役のふたりを見た。大学時代、アメリカンフットボール部で活躍していた新郎の克起《かつき》は、肩幅が広く胸板も厚くて、かっちりしたスーツが窮屈そうだ。肩を出したペールピンクのドレスが似合う可憐な新婦の愛海《まなみ》と並ぶと、まるで美女と野獣だ。

（ま、収まるところに収まったってところだろうな）

　優貴はテーブルに頬杖をつきながら、三年前の出来事を思い出す。

　それは卒業して五年が経った十二月の下旬だった。就職で地元を離れたゼミのメンバーも年末年始は地元に帰ってくるだろう。そう考えたゼミ長が同窓会を企画した。優貴は当時、恋人と別れたばかりで予定もなかったため、同窓会に参加した。

　会場である居酒屋に行くと、畳の個室に案内された。そこには懐かしい顔ぶれがすでに何人か集まっている。

「久しぶり」

　優貴は座敷に上がり、コートを脱いでコートラックにかけた。近くに座っていた祥一郎が優貴に声をかける。

「お、優貴、来たな！　相変わらずイケメンでむかつく野郎だ。太るとかやつれるとかしろよな」

「そういうおまえは生え際が後退したな」

「するか、ボケ！」

　祥一郎が額を押さえた。優貴は笑いながら彼の隣に座り、斜め前に小柄で愛らしい顔立ちの女性が座っているのに気づいた。

「あー、愛海も来てたんだ」

　優貴が声をかけると、愛海は小さくうなずいた。もともと活発なタイプではなかったから、彼女のその反応に、優貴は特に違和感を覚えなかった。

「克起も来るの？」

優貴が何気なく訊いたとき、祥一郎が優貴の腕を肘で小突いた。

「しっ！」

祥一郎が声を潜めて優貴に言う。

「あの筋肉バカが浮気して別れたんだってよ」

「え、そうなのか？」

優貴は驚いて愛海を見た。当然ふたりの会話は聞こえていて、愛海はかすかに笑みを浮かべた。それは今にも消えそうな弱々しいものだった。愛海を慰めるように、隣の女性が彼女の背中にそっと手を添えた。

(克起が浮気か……。あいつ、恋愛に縁遠かった分、女子からアプローチされると弱そうだったもんな)

アメフトだけうまくてほかは脆い。それが優貴の克起に対する印象だった。どこがよかったのかはわからないが、愛海が初めて会ったときから克起に夢中になっていたのは、周囲の誰もが気づいていた。

やがてゼミを受け持っていた老教授も来て、同窓会が始まった。乾杯して、枝豆やら唐揚げやらを食べながらビールを飲んでいると、祥一郎が優貴にささやく。

「なあ、今なら愛海も俺に落ちるかな？」

「え？」

優貴は祥一郎を見た。彼はすでに酔って赤い顔をしている。

「愛海ってさ、かわいいのにそれをひけらかさない感じがすごくいいなって思ってたんだ」

祥一郎はとろんとした目で愛海を見つめた。

（まあ、それは俺も思ったことがあったけどさ）

愛海が克起を熱い眼差しで見ていることに気づいたため、優貴の愛海に対する関心はすぐに薄れたのだが。

「あー、俺、トイレ」

祥一郎が席を立ち、優貴は愛海に視線を送った。彼女は両手でチューハイのグラスを持って飲んでいたが、視線に気づいて優貴を見た。そうして微笑んだ彼女があまりに儚げで、優貴はグラスを持って愛海の隣に移動した。

「大丈夫？」

優貴が話しかけると愛海は視線をグラスに落とした。

「大丈夫ってなにが？」

問い返されて、優貴は戸惑ってしまった。

「いや、なんか……ずいぶん飲んだみたいだけど」

「あ、そっち」

愛海はつぶやくように言って、チューハイのグラスに口をつけた。そうして残っていた半分をゴクゴクと飲み干す。

「愛海」

優貴が心配して声をかけると、愛海はグラスをこたつ机において優貴を見た。

「お願い、ここから私を連れ出して」

「どうして？」

「ここにいたら……ゼミのメンバーと一緒にいたら……克起くんのことを思い出しちゃう。それはつらいの」

潤んだ瞳で必死に見つめられ、優貴は自分の失恋を思い出した。

『小野塚くんって優しそうなのに、ぜんぜん私に優しくしてくれない』

それは一年半付き合った恋人に、最後に言われた言葉だった。

「俺、優しくないよ」

優貴はふっと目をそらした。愛海は優貴の腕に手をのせる。

「克起くんのことを忘れられたら、なんでもいい……」

すがるように言われて放っておけなくなったからか。元カノに打ち砕かれた自尊心を取り戻したかったからか。酒の勢いも手伝って、優貴は愛海の誘いに応じた。一次会がお開きになり、会計をして居酒屋を出たところで、酔った同級生の集団からふたりで抜け出した。

「本当にいいの？」

派手な看板のホテルに近づきながら、優貴は愛海に何度目かの確認をした。

「うん。小野塚くんなら、いい」

愛海がささやくように答え、優貴はそのまま彼女とラブホテルでことに及んだ。優貴も恋人と別れたばかりだし、愛海も克起の浮気に傷ついていた。恋愛感情のない相手と体を重ねても心は満たされなかったが、孤独を埋め合わせる慰めにはなった。

先にシャワーを浴びた優貴は、愛海がシーツを体に巻きつけ、ベッドの下にうずくまっているのに気づいた。

「どうした？　シャワー浴びないの？」

優貴が愛海の肩に手をのせると、彼女はビクリと肩を震わせた。優貴を見上げた彼女は、右手にスマホを握りしめ、大きな目からポロポロと涙をこぼしている。

「なにがあった？」

心配して声をかけた優貴に、愛海は早口で言う。

「なかったことにして」

「え？」

「お願い、なかったことにして！　克起くんからメールで……よりを戻したいって……」

なんだよそれ、という言葉は、ショックでうまく喉から出てこなかった。

「小野塚くんに癒やしてほしいって思ったのは本当なの。でも、それだけ……。ごめんなさい。私ホント……バカなことをした」

愛海に泣かれて、優貴は罪悪感を覚えた。最中に愛海のスマホの電子音が鳴って、メールが届いたのには気づいていた。あれがきっと克起からのメッセージだったのだろう。

優貴は濡れた髪をかき上げながら言う。

「そんなに泣くなよ。克起も浮気したんだからおあいこだろ」

「でも、克起くんが聞いたらなんて思うか……」

「言う必要ないよ。俺も誰にも話す気はないし」

愛海は首を横に振った。

「克起くんに嘘はつけない」

愛海はそう言って、あわただしくシャワーを浴びて、すぐにホテルを出て行った。

（なんか、俺、ものすごくバカみたいだ……）

優貴は虚しさだけを抱えて、ひとりでホテルを出た。

その後、愛海と克起の間でどんな話し合いがあったのか、優貴は知らない。ただ、二次会の間中、優貴に見せつけるように克起が愛海を抱き寄せたり頬にキスしたりするのを見て、克起はすべてを知っているんだろうな、と思った。いずれにしろ、ふたりが幸せそうに寄り添っているのだから、なによりだ。

優貴はビールを飲み干して腕時計を見た。六時半を回ったところだ。

「そろそろ帰るよ」

「え、まだ二次会は始まったばかりだぞ。そんなに早く帰りたがるなんて、おまえ……」

祥一郎がニヤニヤ笑う。

「ああ、ほっとけない人がいるんだよ」

「はいはい、幸せなやつはとっとと帰れ。俺は新婦友人を絶対にひとりお持ち帰りしてやる！」

そう息巻く祥一郎を置いて、優貴はそっと二次会会場のレストランを出た。蒼生のスマホに電話をかけたが、八回目のコールのあと、留守番電話サービスに接続された。

優貴は口元を緩める。

（これは絶対に寝てるな）

はやる気持ちを抑えながら、蒼生のマンションに向かった。合い鍵を使って入ると、予想通り、彼女はソファの上で猫のように体を丸めて眠っていた。アイボリーのニットにゆったりしたグレーのロングスカートが、もこもこしていて愛らしい。

優貴はソファの前に片膝を突いて、最近カラーリングをした蒼生の艶やかなアッシュブラウンの髪をそっとかき上げた。現れた寝顔は全力で脱力していて、笑みを誘われる。

（こういうのを、愛おしいっていうんだろうなぁ……）

保護欲と独占欲をかき立てるその唇に指先でそっと触れたが、蒼生が起きる気配はない。

（飯食ったのか？　食ってないだろうな）

優貴は立ち上がってキッチンに向かった。シンクにはコーヒーカップと皿が一つずつ置いてあるだけだ。料理をした形跡はなく、冷蔵庫には昨日、彼が買っておいた食材が入ったままだ。

（仕方ない）

優貴はスーツの上着を脱ぎ、ネクタイを解いてシャツの袖をまくった。蒼生でも作れるようにと買っておいた市販のシーズニングミックスを鶏もも肉にすり込み、皮を剝いて櫛切りにしたタマネギとジャガイモと一緒に天板にのせた。それを予熱したオーブンに入れてタイマーをセットする。あとはブロッコリーを茹でて、野菜室にある残り野菜とベーコンでコンソメスープを作ればできあがりだ。

蒼生のところに戻ったとき、ＤＶＤプレイヤーの時刻表示は午後八時十二分を表示していた。

（そろそろ起きないと、蒼生を食うぞ）

優貴は含み笑いをして、少し開いたままの蒼生の唇に口づけた。柔らかな唇を軽く吸って、歯を立ててやる。それでも起きないのが焦れったくて、舌を差し入れ、口内を撫で回した。

「ん……あ……」

蒼生がかすかに甘い声を上げ、優貴は唇を離した。蒼生はゆっくりと目を開けて、瞬きを繰り返す。優貴がソファの前に片膝を突いているのに気づいて、とろんとした笑顔になった。

「ふわ、おはよ……」

　蒼生の寝ぼけた声を聞いて、優貴は思わず笑みをこぼした。

（仕事中とギャップがありすぎなんだよ）

　でも、それがかわいいんだけど、と思いながら、蒼生の髪を撫でる。頬にかかっていた髪をそっと耳にかけた。

「お疲れ様」

「あ、う、うん。えっと、優貴はおかえりなさい」

　蒼生はパチパチと瞬きをして、ＤＶＤプレイヤーの時刻表示を見て目を見開く。

「わ、三時間以上もがっつり寝ちゃった」

「晩飯、食べたわけないよな？」

　優貴の問いかけに蒼生は即答する。

「うん、まだ」

「昼食は食べたのか？」

「……うん」

　一瞬の躊躇を聞き取り、優貴は眉を寄せる。

「何時になにを食べた？」

「え？」

「だから、昼は何時になにを食べたのか訊いてるんだ」

優貴が強い口調で尋ね、蒼生は目をそらして小声で答える。

「あー、えっと……仕事しながら……シリアルバーをかじった感じ……かな」

優貴はため息をついた。

「やっぱりな。キッチンを見たらわかったよ。まともに食べたとは言えないな。どうせ『急ぎの仕事で』とか、『どうしても人がいなくて』とか言われて引き受けたんだろ」

「図星です」

「ったく、無理すんなよな。ひとりの体じゃないんだから」

優貴が言うと、蒼生は目を剝いた。

「わ、私、妊娠してないってば！」

蒼生が慌てたように下腹を押さえるので、優貴は吹き出した。

「まだ心配するほど贅肉はついてないって」

優貴は蒼生の頬にそっと触れた。

「蒼生になにかあったら俺が困るって意味だよ」

「あ、そう……」

妊婦と間違われるようなお腹をしてるのかと心配していたであろう蒼生が、ホッと表情を緩めた。そんな彼女を見て、優貴は不満そうにこぼす。

「そこは拍子抜けするとこじゃないだろ。もっと感動するとか……」

蒼生が両手を伸ばして、彼の頬を包み込んだ。

「ホントはそんなふうに言ってもらえて、嬉しいって思ってる」

蒼生が優貴の顔を引き寄せてそっと口づけた。彼女の甘い唇をもっと味わおうとしたとき、ピーピーッと電子音が鳴った。部屋に肉の焼けた芳ばしい香りが漂っているのに気づいて、蒼生がパッと目を輝かせる。

「もしかして、ご飯作ってくれたの？」

「簡単なやつな。市販のシーズニングを振ってオーブンで焼いただけのチキンソテーだ」

「おいしそう！」

蒼生が体を起こそうとしたが、優貴は彼女に覆いかぶさって両手に自分の手を重ねた。

「俺とチキンソテー、どっちを先に食べたい？」

「え、それはもちろん――」

続きを言いかけた唇を優貴はキスで塞いだ。なにか伝えたそうに彼女の唇が動くので、優貴は唇を離してニヤッと笑う。

「もちろん俺だよな？」

「あー、えっとぉ……」

蒼生が困ったように目を動かしたのを見て、優貴は声を出して笑った。

「嘘だよ。まともに昼飯食ってないのに、晩飯までお預けなんてできるわけがない」

「ごめん」

優貴は体を起こし、蒼生の手を摑んで引き起こした。

「とりあえずはちゃんと食べないと、ヤれることもヤれないし」

優貴の言葉に蒼生が頬を染めた。

「そ、そんな言い方って！」

「蒼生が飯に飢えてるのと同様、俺は蒼生に飢えてるんだ」

彼はいたずらっぽく笑って立ち上がった。

「ちょっと待ってろ」

蒼生をローテーブルの前に座らせて、キッチンに向かった。オーブンから天板を出して、チキンソテーとベークドポテトとオニオン、それに茹でたブロッコリーを皿に盛った。レストランのウェイターよろしく、ロールパンの皿と具だくさんの野菜スープのカップとともに、両手に持ってローテーブルに運ぶ。目をキラキラさせていた蒼生のお腹が、ひもじそうな音を立てた。

優貴が笑い、蒼生は赤くなってお腹を押さえた。

「に、二次会から帰ってこんなに作ってくれたんだ」

「蒼生のためだからな」

優貴が笑いながら蒼生の隣に座った。

「でも、披露宴で食事をしたんでしょ？」

「披露宴は昼飯だ。それに、俺は蒼生と食う方がいい」

「私って幸せ者だわ……」

蒼生の嬉しそうな笑顔は、なによりも優貴を幸せにしてくれる。愛しい女性の笑顔を堪能していると、蒼生がおずおずと口を開く。

「あのぅ……そろそろ食べてもいい？」

「もちろん」

「わーい、ありがたくいただきます」

蒼生は神妙な顔で手を合わせた。まずはスプーンを取り上げ、温かいスープを口に運んだ。優貴も同じようにスープを飲む。野菜とベーコンのうま味がにじみ出たコンソメスープが、体にじんわりと染み渡っていく。

「はぁ、生き返るぅ」

蒼生が幸せそうにほぅっと息をついた。続いてチキンソテーを食べ始める。

優貴もナイフとフォークを取り上げた。焦げ目のついた皮はパリッとしていて、ローズマリーの香りが効いている。ベークドポテトは表面がカリッとしているのに中はほっくりしていて、我ながら上出来だ、と優貴はうなずいた。

「やっぱり――」

蒼生がなにか言いかけて、思い直したように口をつぐんだ。

「やっぱり？」

優貴に続きを促され、蒼生は首を横に振った。

「なんでもない」

「そう」

優貴はロールパンをちぎって食べながら、蒼生が食べる様子をしばらく見ていた。蒼生のうっとりした笑顔に誘われたように表情を緩めて口を開く。

「やっぱり蒼生のそばには俺がいてやらないとな」

蒼生はスープを飲もうとしていた手を止めた。続きを待つように彼を見つめるので、優貴は目をそらして左手の人差し指で頬をかく。

「蒼生をひとりにしておくと、なにをしでかすかわからないし」

「どうせ私は頼りないですよ」

蒼生がふて腐れた声で言い、優貴は小さく咳払いをした。

「これから先、蒼生はまたどこかで社内翻訳者として働くことがあるかもしれない。夢を追って努力する蒼生を守り支えるのは、ほかの男じゃなくて俺がいい」

蒼生はまだ完全には機嫌が直っていないようで、頬を膨らませたまま優貴を見た。

「それっていつまで？」

優貴は頬を染めながら言葉を続ける。

「一生。一生、俺が蒼生を守る。そして幸せにする」

その気持ちが心からのものであることを伝えようと、蒼生を見つめた。その熱っぽい眼差しを受けて蒼生は顔を赤らめ、ローテーブルにスプーンを置き、両手を膝の上で揃えた。

「よ、よろしくお願いします」

蒼生が勢いよく頭を下げ、優貴が「あっ」と声を上げたときには、彼女はローテーブルに額をゴンとぶつけていた。

「いっ」

蒼生が顔を上げて額を押さえ、優貴は苦笑しながら蒼生の腰に手を回して引き寄せた。

「蒼生は俺の笑顔の元なんだ。俺も蒼生の笑顔の元になる。だから、蒼生はずっと俺のそばで笑っていろ」

優貴が言って、蒼生の唇にキスを落とした。どちらからともなく額を触れ合わせて、見つめ合う。

（守りたいのは蒼生だけ）

蒼生の輝くような笑顔を見ていると、優貴の顔に自然と笑みが込み上げてくるのだった。

後日談

その日は十一月中旬の、急に冷え込んだ金曜日だった。仕事帰りの夜八時、優貴は蒼生のマンションの来客用駐車場に駐車してから、スマホで蒼生に『着いたよ』とメッセージを送った。しばらく待ったが既読にならず、自然と口元が緩む。

(今日の正午納期の仕事があるって言ってたから……やっぱり寝てるんだな)

先週末に会ったとき、『次の金曜日は優貴の誕生日だから、私がごちそうを作るね！』と嬉しいことを言ってくれていたのだが……。

仕事に疲れて寝ていたせいで、料理ができていなくても大目に見よう、と思いながら、優貴は車を降りた。冷たい外気に包まれ、思わず「寒っ」とつぶやく。

エントランスに入り、エレベーターで六階に上がりながら、ウールのコートの上からスーツのポケットを触った。四角い小箱の存在を確かめながらエレベーターを降り、六〇五号室に向かう。

念のためインターホンを鳴らしたが、やっぱり応答がない。

優貴は小さく息を吐いて、鍵穴に合い鍵を差し込んだ。

（蒼生のことならなんだって許せてしまう俺は、相当甘いんだろうな）

苦笑しながらドアを開けたら、案の定、廊下は真っ暗だった。廊下に上がり、手探りで電気のスイッチを押す。明かりが灯った瞬間、パンッと軽い破裂音がした。

「うわっ」

驚いて声を上げた直後、優貴の頭に紙吹雪やらリボンやらが降ってきた。

「三十歳のお誕生日おめでとう～！」

クラッカーを持った蒼生が洗面所から出てきた。してやったりと言いたげな笑顔だ。

てっきり寝ているものだと思っていただけに、彼女がしかけたサプライズに本気で驚いた。

「……やられた」

「びっくりした？」

蒼生が楽しそうに笑い、優貴は両手を伸ばして冷たい手で蒼生の頬を包み込んだ。

「ひゃあっ」

蒼生が悲鳴を上げ、優貴は小さく笑みを浮かべる。

「仕返しだ」

蒼生が逃げ出そうとするので、優貴はすかさず彼女をギュッと抱いた。

「会いたかった」

優貴が蒼生の頬に冷たい頬を押しつけ、蒼生は背を仰け反らせる。

「や、ちょっ……冷たいってば！」

「じゃあ、蒼生が温めて」

「え～……」

不満そうな声を上げる蒼生を、優貴はさらに強く抱きしめる。

「月曜から蒼生に会ってないんだぞ。俺の中で〝蒼生成分〟が不足してるんだ」

蒼生を廊下の壁に押しつけて、唇を重ねた。会えなかった時間を埋め合わせるようにキスを繰り返す。

「温まった？」

唇が離れ、蒼生が上目遣いで彼を見た。

「まだ」

再び唇を重ね、温かく柔らかな唇を貪るにつれて、優貴の体温が上がる。蒼生の額に自分の額をコツンと合わせて、ふぅっと息を吐いた。

蒼生が両手で優貴の頬に触れる。

「もっと……こうしていたいけど……せっかく料理を作ったんだし、温かいうちに食べない？」

キスのせいで頬を上気させ、半分目をとろりとさせながらも、蒼生が言った。首を振って理性を取り戻そうとしている様子から、本当は続きをしたいけれど、がんばって作った料理を食べてほしいという気持ちが伝わってくる。

「わかったよ」

優貴は蒼生の頭をポンポンと撫でた。

「じゃ、先に座って待ってて」

蒼生がキッチンに消え、優貴は廊下を抜けて、蒼生の仕事部屋兼ベッドルームに入った。仕事を終えてから片づけたらしく、部屋はこざっぱりとしていて、暖房が効いている。

コートを脱いでハンガーラックに掛け、ソファに座った。ローテーブルの上にはグラスに入ったキャンドルが置かれていて、ランチョンマットの上にフォークとスプーンが並べられている。

ほどなくして蒼生が白い大皿を二つ持って入ってきた。

「じゃーん！　ビーフシチューで～す！」

濃厚なデミグラスソースの匂いが漂い、ごろっとした牛肉と野菜が煮込まれたそれを、蒼生は得意げな表情でローテーブルに置いた。その仕草があまりにかわいくて、優貴は手を伸ばして蒼生のニットの腕を摑む。

「すごくうまそうだ」

蒼生を引き寄せて膝にすとんと座らせると、蒼生が首を左右に振った。

「待って、まだあるから！」

いそいそとキッチンに戻り、今度はガラスの器に盛られたレタスとトマト、ゆで卵のサラダを運んできた。さらに往復して、バタールをのせた皿とバター、赤ワインのボトルとグラスを並べた。

「お待たせしましたぁ」

蒼生が料理をしたあとのキッチンは、きっと惨事になっているだろう。それを想像して、優貴の頬が自然と緩んだ。

蒼生はローテーブルの前に両膝を突いて、ワインボトルを取り上げた。

「お店の人に教えてもらったお勧めのワインだから、料理に合うと思うんだ」

蒼生はワインオープナーのナイフの部分を引き出して、ボトルのキャップシールに当てた。そうして切り込みを入れようとするのだが……その慣れない危なっかしい手つきを見て、優貴は反射的に手を伸ばした。

「俺が開ける」

蒼生はワインオープナーを優貴に取られないよう、彼に背中を向けた。

「今日は私が優貴をおもてなししようって決めたの。だから、ワインだって開けてみせる」

そう言いつつ、キャップシールと格闘しているが、ボトルネックの形状のせいもあって、切りにくそうだ。案の定、ナイフが表面を滑って指を切りそうになり、優貴は思わず息を吞んだ。

「貸してみろ」

「絶対にやだ」

「どうして？」

「嫌だから嫌なの」

「あのなぁ。変な意地を張るなよ」

　蒼生は不満そうにチラッと彼を見る。

「別に意地なんか張ってない」

「指は商売道具だろ。怪我したらどうすんだ」

　優貴が口調を強め、蒼生は頰を膨らませてワインオープナーを差し出した。

「……じゃあ、お願い」

　優貴はワインオープナーとワインを受け取り、慣れた手つきでナイフを使って、キャップシールを剝がした。続いてスクリューをコルクに差し込み、ゆっくりと引き抜く。そうしてグラスにワインを注いだ。

「ほら」

「……ありがと」

　蒼生の表情は相変わらず不満げだ。優貴はローテーブルにボトルを置きながら尋ねる。

「俺が開けたのが気に食わないのか？」

「そうじゃないけど……」

「だったらなに？」

　優貴は前屈みになって蒼生の顔を覗き込んだ。蒼生はふっと目をそらす。

「やっぱり私……できないことが多すぎるよね」

優貴は眉を寄せた。

「いきなりなにを言い出すんだ？」

「だって。ビーフシチューだって、ちゃんとルウから作ろうと思ったのに、結局うまくできなくて市販のデミグラスソースでごまかした。サラダだって切って盛りつけただけで、ぜんぜん手が込んでないし。『ごちそうを作る』って言ったのは私なのに」

「そんなことを気にしてたのか？」

優貴が小さく笑みをこぼし、蒼生はキッと彼を見る。

「そんなことって！　私には重大なことなんだよ！」

「蒼生がなんでも完璧にできたら、俺がいる必要がなくなるだろ。俺ができることは俺がやったらいい。蒼生にだって蒼生にしかできないことがあるんだから」

「そう……かなぁ？」

腑に落ちない、と言いたげな蒼生を、優貴は後ろからふわりと抱いた。

「俺を癒やすのは、蒼生にしかできない。ほかの誰かじゃダメなんだ」

優貴はもこもこのニットの上から蒼生の細い体を抱きしめた。蒼生が彼の腕に両手でそっと触れる。

「……そう言ってもらえて嬉しい」

そして、ようやく気を取り直したのか、明るい声を出す。

「今日もお仕事お疲れ様」

「ありがとう」

優貴は腕を解いて蒼生と向き合った。はにかんだ表情の蒼生を見つめて、数日前から用意していた言葉を紡ごうとしたとき、蒼生が座ってワイングラスを取り上げた。

「乾杯しない？」

優貴はポケットに入れかけていた右手を止めた。

「……ああ、そうだな」

優貴は蒼生と向かい合う場所に座った。

「じゃ、改めて、乾杯！」

蒼生がグラスを持ち上げ、優貴も同じようにグラスを取って軽く合わせた。一口含むと、しっかりと濃い果実味が感じられる、味わい深いワインだ。

「うん、うまいな。ビーフシチューにも合いそうだ」

「よかった」

蒼生はホッとしたように言ってグラスを置いた。彼女に勧められて料理を食べ始める。先にサラダを口に入れたものの、蒼生がチラチラと期待に満ちた視線を投げてくるので、優貴は頬を緩めながらスプーンを取り上げた。彼がビーフシチューを口に運ぶのを、蒼生は固唾を呑んで見守る。

優貴は蒼生の視線を感じながら、ビーフシチューを味わった。炒めるときにバターを使ったらしく、しっかりとしたコクが感じられる。お世辞ではなくおいしいのだが、不安と期待が入り交じった蒼生の表情を見ているうちに、意地悪をしてみたくなった。

「ん〜……」

わざと眉間にしわを刻んで口元に手を当てた。蒼生が眉を寄せ、心配そうに問う。

「……おいしくない？」

優貴が視線を落とし、蒼生が彼を下から覗き込んだ。目が合って、優貴はニッと笑う。

「すごくうまい」

「はぁっ⁉」

蒼生は目を見開いた。

「だから、うまいって」

優貴が笑い、蒼生は瞬きをして頬を膨らませる。

「も〜、紛らわしいことしないでよぅ。口に合わなかったのかって本気で心配したんだから！」

「悪かった」

「知らないっ」

蒼生がぷいっと横を向いた。

「悪かったってば。蒼生の仕草がかわいかったから、ついな」

優貴が右手を持ち上げ、顔の前でごめんのポーズをした。蒼生は横目でチラッと見て、大きく息を吐いて言う。

「今日は誕生日だから特別に許してあげる」

「よかった。本当は月曜からずっと楽しみにしてたんだぞ」

その言葉に蒼生は機嫌を直したらしく、頬を緩め、バタールをちぎって口に入れた。それをもぐもぐと噛んで飲み込んでから、話を始める。

「それはそうと、今日、里穂さんからメッセージをもらって、由季子さんと三人で忘年会を兼ねて女子会をしようって誘われたんだ」

蒼生はジャパン・コンベンション・プランニングでの一ヵ月の仕事を終えたとき、由季子と里穂と連絡先を交換していた。

それを思い出し、優貴は食べる手を止めて言う。

「楽しそうだな」

「うん。優貴も会社で忘年会とかあるよね？」

「ああ。でも、その前に打ち上げがあるだろうな。来月上旬に大きなシンポジウムがあるから」

「そうだったね」

蒼生は嬉しそうな表情になって続ける。

「実は私、そのシンポジウムで講演の翻訳をするんだよ！」

「どういうこと？」

不思議そうにする優貴に、蒼生は人差し指を立てて説明をする。

「何人か講演者がいるでしょ？　その人たちの講演の音声を文字に起こす人がいて、その原稿を私が翻訳して、さらにそれを別の人が映像に合わせて字幕にするの。そうして講演内容が講演したその日にインターネット上に公開されるんだ」

「そういう仕事もあるんだな」

　優貴は感心してつぶやいた。

「そう。だから、シンポジウムの時間はいつ原稿が来ても大丈夫なように、家にずっといなくちゃいけないんだけど」

「だったら、その時間にここに来れば、起きてる蒼生に会えるわけだ」

　優貴がいたずらっぽく笑い、蒼生は目を見開く。

「私、そんなにいつも寝てないってば！　それに、来てもおもてなしはできないからねっ！」

「わかってるって。俺だってシンポジウムの会場で仕事だよ」

「そうだよね。でも、同じ仕事に別の形で関わってるって……なんだか不思議」

　蒼生がしみじみとした口調になった。

「そうだな」

　それも運命的だ、と思ったが、優貴は言葉にせずにビーフシチューをスプーンですくった。

　それから他愛ない話をしながら食事を終えて、食器を一緒にキッチンに運んだ。優貴が食器をシンクに入れている横で、蒼生はコーヒーメーカーをセットしながら、彼に声をかける。

「誕生日と言えばやっぱりケーキでしょ？　だから、ケーキも作ったんだ……」

優貴は蒼生を見た。得意げな顔をしているかと思いきや、蒼生は不安そうだ。

「きっちり分量を量ってレシピ通りに作ったから……ちゃんと食べられるとは思うんだけど……」

蒼生は自信なさそうに言いながら冷蔵庫を開けた。小さな生クリームケーキがのった皿を取り出して、優貴に見せる。生クリームの塗られた表面にむらがあり、飾りのフルーツも等間隔に並んでいない。不器用ながらがんばって作りました、という出来映えだ。

優貴は思わず笑みをこぼした。

「蒼生が作ってくれただけで嬉しいよ」

蒼生は照れ笑いを浮かべて、ケーキをローテーブルに運んだ。優貴はコーヒーをカップに注いで彼女に続く。ローテーブルの前に着いたときには、蒼生はソファに座っていた。優貴はその隣に腰を下ろす。

「三十歳になった感想は⁉」

蒼生がマイクを向けるような仕草で右手を優貴に向けた。

「うーん、特になにもないな」

「えっ、人生の節目だよ？　人生にもっと責任を持たなくちゃいけないなと思いました、とか、感想はないの？」

「じゃ、同じ質問を二ヵ月後の蒼生にしてやるよ。そのとき、俺をうならせるような回答を期待してる」

蒼生は顔をしかめた。

「二十代が終わって寂しいとか言っちゃいそう」

「二十代だろうが三十代だろうが、俺はあまり気にしないな。忙しいけど、だからこそ一日一日を大切に、毎日を丁寧に過ごしたいという気持ちは変わらない」

蒼生は視線を落として小声でつぶやく。

「……でも……女性にとったら二十代と三十代は……かなり違うよ」

いつもの独り言だろうかと思って、優貴は蒼生の顔を覗き込んだ。目が合って、蒼生はハッとしたように瞬きをする。

「あ、ごめん。なんでもない。それより、プレゼントもあるんだ」

蒼生は背中の後ろから紙袋を取り出した。そして中から紺色の包装紙に包まれた四角い箱を取り出す。

「お誕生日おめでとう！」

「ありがとう」

優貴は目を細めて受け取った。

「開けて開けて」

蒼生に急かされ、優貴は青色のリボンを解いて包装紙を開けた。現れた箱の蓋を持ち上げ、思わず顔をほころばせる。箱の中のそれは、一見スタイリッシュな腕時計に見えるが、充電スタンドが付属していた。

「これはスマートウォッチ？」

「正解！　スケジュール管理もできるし、メールや電話の着信も知らせてくれるから、忙しい優貴の役に立つかな……って思って」

彼のことを考えてくれている蒼生の言葉。スマートウォッチは以前から便利そうだな、と気になっていたので、二重の喜びだ。

「すごく嬉しいな。ありがとう」

優貴は言ってから、真顔になって蒼生を見た。

「こんなにいいプレゼントをもらっておいてなんだけど……」

優貴の言葉を聞いて、蒼生は表情を曇らせた。

「もしかして、ほかにもっと欲しいものがあったの……？」

「実はそうなんだ。それも欲しい」

蒼生は肩を落とした。

「なんだぁ……。欲しいものがあったんなら、リクエストを訊けばよかった。ねえ、それは来年のプレゼントじゃダメ？」

「来年じゃ遅い」

「じゃあ、クリスマス」

「そんなに待てない」

「欲張り」

蒼生は頬を膨らませた。

「いったいなにが欲しいの？」

優貴は右手をポケットに入れて、ベルベットの小箱を取り出した。

「蒼生を一生独占する権利が欲しい」

蒼生はハッとしたように目を見開く。

「少し前、蒼生を一生守るって……幸せにするって言っただろ？　あの気持ちを目に見える形にしたい」

優貴が小箱の蓋を開け、彼の想いを表すプラチナの指輪が現れた。センターの大粒のダイヤモンドに小さなピンクダイヤモンドが寄り添う可憐なデザインが、蒼生の細い指に似合いそうだと選んだものだ。

優貴が指輪をケースから抜き取るのを見て、蒼生が目を潤ませる。

「今日は……優貴の誕生日なのに……」

「だから、欲しいものを全部手に入れるんだ」

優貴は小箱をローテーブルに置いて、蒼生の左手を取った。その薬指にそっと指輪をはめる。柔らかなカーブを描くその指輪は、そこにあるのが当然というように、蒼生の薬指

にぴたりと収まった。頭上のライトを浴びて、二つのダイヤモンドが幻想的に輝く。

「どうしよう……幸せすぎてどうにかなっちゃいそう」

蒼生の瞳が涙で光った。優貴は照れを隠すようにぶっきらぼうに言う。

「これでどうにかなってたら大変だぞ。これからもっともっと幸せになるんだから」

「うん」

「蒼生は一生俺のものだ」

「ん……」

優貴は蒼生の肩に左手を回して彼女を引き寄せた。

「結婚式はいつ頃にしようか？」

蒼生は彼の肩に頭をもたせかけて答える。

「来てくれる人のことを考えたら、あったかくなってからの方がいいかなぁ」

「蒼生のご両親にも正式に挨拶に行かないといけないな」

「うん。お母さんがまた大騒ぎしそうだけど」

以前、会ったときのことを思い出して、優貴は小さく微笑んだ。

「楽しいお母さんだった。先に一緒に住むのも認めてもらいたいな」

「それは大丈夫だと思う。でも、住むとしたら、優貴の部屋？　それとも私の部屋？」

蒼生の問いかけに、優貴は「うーん」と考えて答える。

「蒼生は仕事部屋が欲しいだろ？」

「うん」

「２ＬＤＫくらいの物件を探そうか。いや、これからのことを考えたら、もう一つ二つ部屋が多くてもいいな」

蒼生とともに築く人生を想像しながら、優貴は彼女の肩を軽く撫でた。

「これから……いっぱい幸せになれるんだよね」

蒼生が噛みしめるようにつぶやいた。

「そうだよ」

蒼生と一緒なら、幸せになれる予感しかしない。温かな気持ちが湧き上がってきて、優貴は笑みを浮かべながら蒼生の髪にそっとキスを落とした。

【ＥＮＤ】

あとがき

はじめましての方も、お久しぶりの方も、こんにちは！　このたびは『辛口な上司ですが、プライベートは極甘です。ただし、私、限定で！』をお読みいただき、ありがとうございました！

過去の手痛い失恋から、自宅に閉じこもって仕事をしているヒロイン・蒼生が、甘い外見をしたイケメン・優貴と衝撃的な出会いをします。それで恋が芽生えるかと思いきや、外見からは想像もつかない辛口な彼の言葉にあえなく撃沈。そんなふたりが再会し、お互い恋愛対象ではないと思いながらも、心が動いていきます。紆余曲折を経ながら育まれる恋の物語を、ステキなイラストと一緒にお楽しみいただけたら、とても嬉しいです。

本作は、らぶドロップスレーベルから電子書籍として配信されている作品に、少し修正を加えたものです。蜜夢文庫化にあたって読み直したところ、「あれ、優貴、指輪あげてへんやん！」と気づきまして（笑）、後日談を加筆しました。エンゲージリングを渡すシーンを考えるのはいつも楽しいです。優貴らしいプロポーズになったのではないかな、と思うのですが、いかがでしょうか。

毎回、勝手に豆知識のようなものを作品にコソッと入れるのを趣味にしているのですが（いえ、スルーしていただいてまったく問題ありませんっ）、今回は私のもう一つの職業である翻訳絡みの〝あるある〟をちょいちょい挟んでみました。駆け出しだった頃にやられた「そんなんあり⁉」な出来事など、蒼生も同じように経験しています。メインのストーリーの合間に、クスッと笑ってください（いえ、スルーでもぜんぜん問題ないです）。

本作のイラストは、ｎｅｃｏ先生が描いてくださいました。蒼生の表情が本当にかわいくて、優貴がとってもセクシーで、心拍数が上がりまくりです。早くみなさまにもお見せしたいと、ずっと楽しみにしていました。

最後になりましたが、本作の出版にあたってご尽力くださいましたすべての方々に、心よりお礼を申し上げます。

そして本作をお手に取ってくださった読者のみなさま、本当にありがとうございます！読んでくださるみなさまの存在が、作品を書くなによりのエネルギーです。

最後までお付き合いいただきまして、本当にありがとうございました。

ひらび久美

モブOLがヒロインに。
婚活の極意
満載ラブコメディ!?
責任は取る。
だから、すべて
俺に委ねろ
イケメンすぎる婚活アドバイザー×地味で平凡なアラサーOL

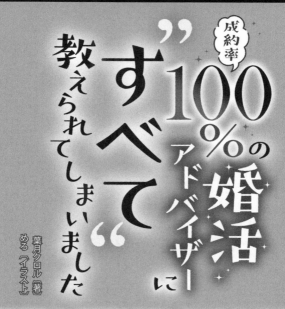

才川夫妻の恋愛事情　８年目の溺愛と子作り宣言
黙って私を抱きなさい！ 年上眼鏡秘書は純情女社長を大事にしすぎている
才川夫妻の恋愛事情～７年じっくり調教されました～
イケメン兄弟から迫られていますがなんら問題ありません。
編集さん（←元カノ）に謀られまして　禁欲作家の恋と欲望
清く正しくいやらしく　まじめＯＬのビッチ宣言

鳴海澪――――――――――――――――――――――――

俺様御曹司に愛されすぎ　干物なリケジョが潤って⁉
溺愛コンチェルト　御曹司は花嫁を束縛する
赤い靴のシンデレラ　身代わり花嫁の恋

葉月クロル――――――――――――――――――――――

拾った地味メガネ男子はハイスペック王子！ いきなり結婚ってマジですか？

春奈真実――――――――――――――――――――――――

恋舞台　Ｓで鬼畜な御曹司

日野さつき――――――――――――――――――――――

強引執着溺愛ダーリン あきらめの悪い御曹司

ひより――――――――――――――――――――――――

地味に、目立たず、恋してる。幼なじみとナイショの恋愛事情

ひらび久美――――――――――――――――――――――

フォンダンショコラ男子は甘く蕩ける
恋愛遺伝子欠乏症 特効薬は御曹司⁉

真坂たま――――――――――――――――――――――――

ワケあり物件契約中～カリスマ占い師と不機嫌な恋人

御子柴くれは――――――――――――――――――――

セレブ社長と偽装結婚　箱入り姫は甘く疼いて⁉

水城のあ――――――――――――――――――――――――

Ｓ系厨房男子に餌付け調教されました
露天風呂で初恋の幼なじみと再会して、求婚されちゃいました‼
あなたのシンデレラ　若社長の強引なエスコート

御堂志生――――――――――――――――――――――――

欲望の視線　冷酷な御曹司は姫の純潔を瞳で奪う
エリート弁護士は不機嫌に溺愛する～解約不可の服従契約～
償いは蜜の味　Ｓ系パイロットの淫らなおしおき
年下王子に甘い服従　Ｔｏｋｙｏ王子

深雪まゆ――――――――――――――――――――――――

社内恋愛禁止　あなたと秘密のランジェリー

桃城猫緒――――――――――――――――――――――――

処女ですが復讐のため上司に抱かれます！

連城寺のあ――――――――――――――――――――――

同級生がヘンタイDr.になっていました

TAKE
SHOBO

辛口な上司ですが、プライベートは極甘です。ただし、私、限定で！

ひらび久美

ILLUSTRATION
neco

蜜夢
MITSU
YUME